中華國學經典百部

精華本

孟子

〔战国〕孟子 著

姜波 译

中国书店

图书在版编目（CIP）数据

孟子 /（战国）孟子著；姜波译 .—北京：中国书店，2023.10

（中华国学经典百部：精华本）

ISBN 978-7-5149-2963-8

Ⅰ . ①孟… Ⅱ . ①孟… ②姜… Ⅲ . ①儒家②《孟子》—译文 Ⅳ . ① B222.54

中国版本图书馆 CIP 数据核字（2022）第 075451 号

孟子

〔战国〕孟子 著　姜波 译

责任编辑：武悦

出版发行：中国书店

地　　址：北京市西城区琉璃厂东街 115 号

邮　　编：100050

电　　话：（010）63171753（总编室）

（010）63017857（发行部）

印　　刷：三河市嘉科万达彩色印刷有限公司

开　　本：787mm × 1092mm　1/32

版　　次：2023 年 10 月第 1 版第 1 次印刷

字　　数：124 千

印　　张：6（全 300）

书　　号：ISBN 978-7-5149-2963-8

定　　价：1490.00 元（全 50 册）

前言

《孟子》乃记录孟子及其弟子言行的一部著作。

孟子名轲，表字无传，战国时期邹国人。具体生卒年不详，是著名的思想家、政治家、教育家，儒家学派的代表人物。

孟子是鲁国贵族孟孙氏之后，其出生时家道已经中落。其父在孟子年幼时便已过世，孟子由其母亲抚养长大。孟母对孟子的教育十分严格，历史上有着“孟母三迁”“孟母断机杼”的传说，足见其用心良苦。在母亲的精心教养下，孟子度过了充实的少年时期。

长大成人之后，孟子曾“受业子思之门人”（《史记·孟子荀卿列传》）。子思乃儒家创始人孔子的孙子，在战国时是名扬于世的儒学大师。孟子师从子思的门人，由此奠定了孟子传承与发展儒家学说的基础。

孟子也像孔子一样，曾经带领弟子到各国去游历，并曾担任过一段时间齐宣王的客卿。不过因为其政治主张与孔子一样，故未被重用，不久便辞职归乡继续讲学。

孟子生活的战国中期比孔子所生活的春秋时期更加混乱，社会更加动荡不安，不过在这动荡的时期，思想也更加活跃，出现了历史上的“百家争鸣”局面。孟子既继承了孔子的政治学说与教育观念，又对其有所发展，形成了自己的政治与学术思想。同时，墨家、道家、法家等学派也开始发展起来，孟子在百家争鸣时有力地维护了儒家学派的理论，并且确立了自己在儒家学派中的重要地位，成就仅次于孔子。后来，随着儒家学说地位的不断提高，孔子被称为“圣人”，孟子被称为“亚圣”。

与《论语》相同，《孟子》也是语录体散文，但是在文字表达上，两者差异很大，《论语》中的语言文字都简洁、含蓄，《孟子》却有很多长篇大论和一些机智的辩论，在解答世人对儒家学说的疑问方面，更加直观。《孟子》的写作手法也对后世产生了深远的影响。

关于《孟子》这部书的作者，历来有三种看法。一种认为是孟子自己所撰写的；另一种认为是孟子死后其弟子万章、公孙丑等人根据其言行编写而成；第三种则结合前两种说法，认为是孟子与其弟子共同编写而成，而主要作者是孟子。目前，人们对第三种说法比较认同。

本书将《孟子》原七卷分为十四个部分，精选了其中最为著名的篇章。为了方便读者阅读，还对每篇文章进行了注释、翻译与讲解，让读者能够深入领会孟子的思想学说。

目录

卷一　梁惠王上

一

【原文】

孟子见梁惠王①。王曰："叟②，不远千里而来，亦将有以利吾国乎？"

孟子对曰："王何必曰利？亦③有仁义而已矣。王曰'何以利吾国'，大夫曰'何以利吾家'，士庶人④曰'何以利吾身'，上下交征⑤利，而国危矣。万乘之国，弑其君者必千乘之家；千乘之国，弑其君者必百乘之家⑥。万取千焉，千取百焉，不为不多矣。苟⑦为后义而先利，不夺不餍⑧。未有仁而遗⑨其亲者也，未有义而后其君者也。王亦曰仁义而已矣，何必曰利？"

【注释】

①梁惠王：即魏惠王（前400—前319），因其即位九年时由旧都安邑（今山西夏县北）迁都大梁（今河南开封西北），又被称为梁惠王。

②叟：对老人的尊称，这里代指孟子。

③亦：只，仅。

④士庶人：士与庶人。代指老百姓。

⑤交征：互相争夺。征：取。

⑥千乘（shèng）、百乘之家：拥有封地的公卿大夫。公卿的封邑大，拥有千乘兵车；大夫的封邑小，拥有百乘兵车。

⑦苟：如果。

⑧餍（yàn）：满足。

⑨遗：遗弃，丢弃。

【译文】

孟子拜见梁惠王。梁惠王开口问道："老先生，您千里迢迢赶来，有什么对我的国家有利的高见吗？"

孟子回答说："大王为什么要说利呢？我看只要说仁义就够了。大王说'怎样做有利于我的国家'，大夫说'怎样利于我的封地'，士人与百姓说'怎样对我自身有利'，结果从上到下都在争夺利益，那么国家就危险了！在一个拥有万辆兵车的国家，将它的国君杀死的人，一定是拥有千辆兵车的公卿；在一个拥有千辆兵车的国家里，将它的国君杀死的必定是拥有百辆兵车的大夫。这些公卿大夫在拥有一万辆兵车的国家中占据了一千辆，在一千辆兵车的国家中占据了一百辆，他们所拥有的不能算是不多。可是，如果将'利'放在'义'的前面，不争夺国君的地位，他们是无法满足的。反过来说，从来没有听说过讲'仁'的人会抛弃父母，也没有听说过讲'义'的人会不顾君王。因此，大王只要讲'仁义'就够了，何必要去讲'利'呢？"

【解析】

孔子在《论语·里仁》中就曾提及"君子喻于义，小人喻于利"，不仅为人处世要以此为准则，治理国家也应该如此。荀子在《荀子·大略篇》中认为，盛世重义，乱世重利。司马迁在读《孟子》时，也曾感慨利乃天下大乱之根本。因此，君子不能言利，乃是儒家历来的传统。

二

【原文】

孟子见梁惠王。王立于沼[①]上，顾鸿雁麋鹿，曰：“贤者亦乐此乎？”

孟子对曰：“贤者而后乐此，不贤者虽有此，不乐也。《诗》云[②]：‘经始灵台[③]，经之营之。庶民攻[④]之，不日成之。经始勿亟，庶民子来[⑤]。王在灵囿[⑥]，麀鹿攸[⑦]伏。麀鹿濯濯[⑧]，白鸟鹤鹤[⑨]。王在灵沼，於牣[⑩]鱼跃。’文王以民力为台为沼，而民欢乐之，谓其台曰灵台，谓其沼曰灵沼，乐其有麋鹿鱼鳖。古之人与民偕乐，故能乐也。《汤誓》[⑪]曰：‘时日害丧[⑫]，予及女[⑬]偕亡！’民欲与之偕亡，虽有台池鸟兽，岂能独乐哉？”

【注释】

①沼：水池。

②《诗》云：下面所引的是《诗经·大雅·灵台》，全诗共四章，文中引的是前两章。

③经始：开始规划建设。灵台：在今陕西西安西北。

④攻：修建。

⑤庶民子来：老百姓像儿子孝敬父母一般来修建灵台。

⑥囿（yòu）：古时君王畜养家禽野兽的园林，也就是狩猎场。

⑦麀（yōu）鹿：母鹿。攸：同“所”。

⑧濯（zhuó）濯：肥肥胖胖的样子。

⑨鹤鹤：羽翼洁白的样子。

⑩於（wū）：赞叹词。牣（rèn）：满。

⑪《汤誓》：《尚书》中的一篇，记载了商汤王讨伐夏桀时宣读的誓词。

⑫时日害丧：什么时候这太阳才能毁灭呢？时：这。日：太阳。害：何，何时。丧：毁灭。

⑬予及女：我和你。女：同“汝”，你。

【译文】

孟子拜见梁惠王。梁惠王站在池塘边上，观察着鸿雁、麋鹿等飞禽走兽，说：“贤人也以此为乐吗？”

孟子回答说：“贤人才会以此为乐，不贤的人就算拥有这些东西，也不会收获快乐。《诗经》中曾经说过：‘开始规划准备建造灵台，要认真建设，巧妙地去安排。天下的百姓都来帮忙，那么几天就建完了。建造灵台这件事本就不需要着急，百姓会像儿子孝顺父母那样自动自发地过来帮忙。文王在灵园中游玩，母鹿潜伏在深草丛中。母鹿体形肥大，毛色光亮，白鸟的羽毛洁白干净。文王游览到灵沼时，满池塘的鱼儿都欢腾跳跃。’虽然周文王经常动用百姓的劳力来搭建高台深池，但是老百姓自身是非常高兴的，并将那个台叫作‘灵台’，将那个池叫作‘灵沼’，将里面圈养的麋鹿、鱼鳖等珍禽异兽作为乐趣。古代的时候，君王常与民同乐，所以能够真正快乐。相反，《汤誓》说：‘你这太阳啊，什么时候才会灭亡啊？我愿意与你一起毁灭！’老百姓恨不得和你一起同归于尽，即便你拥有高城深池、珍禽异兽，岂能独享快乐？”

【解析】

这部分孟子与梁惠王的对话颇为有趣。梁惠王先以一种略带奚落的口吻问孟子：“不言名利的贤人也会以欣赏畜养珍禽鸟兽为乐吗？”孟子故意装糊涂，反而亮出自己的主题：“贤者而后乐此，不贤者虽有此，不乐也。”然后提出君王应该“与民同乐”的思想主张。

孟子想要阐述的思想是：仁义的君王会与民同乐，这样才能享受真正的快乐。残暴的君王穷奢极欲，不管百姓死活，结果自己也无法得到真正的快乐。

孟子在这里提出的思想恰恰是仁政的一部分，对后世产生了深远的影响。

三

【原文】

梁惠王曰：“晋国①，天下莫强焉，叟之所知也。及寡人之身，东败于齐，长子死焉②；西丧地于秦七百里③；南辱于楚④。寡人耻之，愿比死者壹洒⑤之，如之何则可？”

孟子对曰；“地方百里⑥而可以王。王如施仁政于民，省刑罚，薄税敛，深耕易耨⑦，壮者以暇日修其孝悌忠信，入以事其父兄，出以事其长上，可使制梃以挞秦、楚之坚甲利兵矣。

“彼夺其民时，使不得耕耨以养其父母。父母冻饿，兄弟妻子离散。彼陷溺其民，王往而征之，夫谁与王敌？故曰：‘仁者无敌。’王请勿疑。”

【注释】

①晋国：韩、赵、魏三家分晋，被称为三晋，因此，梁（魏）惠王才会称魏国为晋国。

②东败于齐，长子死焉：公元前323年，魏国与齐国在马陵交战，魏国大败，主将庞涓被杀，太子申被俘。

③西丧地于秦七百里：马陵之战后，魏国开始衰落，屡次败于秦国，最后不得不献出河西之地以及上郡的十五个县，约七百里地。

④南辱于楚：公元前324年，魏国在襄陵与楚国交战，战败，失去八邑。

⑤比：替，为。壹：全，都。洒：洗刷。即为亡者报仇雪恨的意思。

⑥地方百里：方圆百里的土地。

⑦易耨：及时除去杂草。易：疾，速，快。耨：除草。

【译文】

梁惠王说："我们魏国，以前天下是没有比它更强大的国家，这一点是先生了解的。（可是）到了我手里，东面败给了齐国，我的长子（在战争中）被俘；西边又献给了秦国七百里地方；南边为楚国所辱，打了败仗。为此我感到十分耻辱，一心想要为亡者报仇雪恨，怎么办才好呢？"

孟子回答道："（即便）是只有百里的小国也可以夺取天下。如果大王能够对百姓施以仁政，少动用刑罚，减少赋税，（提倡）深耕细作，勤除田里的杂草，让年轻力壮的人可以在耕种的空闲时间来学习孝敬父母，尊敬兄长，了解忠诚守信的道理，在家中用这些道理侍奉父母兄弟，在外用这些道理来尊敬老者，（如此一来）便可以让他们拿起木棍去打赢那些拥有尖兵利器的秦楚两国军队了。

"他们（秦、楚）妨碍百姓适时生产，让百姓不能耕作，更无法侍奉父母。父母挨饿受冻，兄弟妻儿到处逃亡。他们让自己的百姓陷入痛苦之中，（倘若）大王去讨伐他们，谁又能与大王对抗呢？所以（古语）说：'有仁德的人天下无敌。'请大王不要怀疑这个道理。"

【解析】

孟子认为，在战国当时的局势下，只有施行仁政才能夺得民心，赢天下。这里的“仁政”是孟子提出的在当时比较新的治国之道。相较于孔子的“礼乐”来说，孟子所言更为完整，但是因为没有实践验证，其空想成分较多。正如李泽厚所言，孟子之所以会提出“仁政”的概念，是因为当时氏族制度已经全面瓦解。“礼”完全等同于“仪”而失去了其重要性，因此孟子已经不必要像孔子一般继续解释“礼”或者维护“礼”，而是提出了一个全新的概念“仁政”。

四

【原文】

孟子见梁襄王①，出，语②人曰：“望之不似人君，就之而不见所畏焉。卒然问曰：‘天下恶乎定？’

“吾对曰：‘定于一。’

“‘孰能一之？’

“对曰：‘不嗜杀人者能一之。’

“‘孰能与③之？’

“对曰：‘天下莫不与也。王知夫苗乎？七八月④之间旱，则苗槁矣。天油然作云，沛然下雨，则苗浡然⑤兴之矣。其如是，孰能御之？今夫天下之人牧⑥，未有不嗜杀人者也。如有不嗜杀人者，则天下之民皆引领而望之矣。诚如是也，民归之，由⑦水之就下，沛然谁能御之？’”

【注释】

①梁襄王：梁惠王的儿子，名嗣，公元前318到公元前296年在位。

②语（yù）：动词，告诉，告知。

③与：从，跟。

④七八月：为周代的历法，相当于如今的五六月，正是禾苗干旱缺

水之时。

⑤浡然：兴起的样子。浡然兴之，即蓬勃地兴起。

⑥人牧：管理人民的人，也就是国君。“牧”为牧羊、牧牛的引申义。

⑦由：同“犹”，如同，好像。

【译文】

孟子去见梁襄王，退出来之后，告诉别人说：“从远处看，他（梁襄王）毫无风度，根本不像个国君的样子，走到跟前去看他，也没看到什么让人敬畏的地方。他突然问我：‘天下如何才能安定？’我回答道：‘天下统一了便会安定下来。’（他又问：）‘谁能让天下统一？’我回答说：‘讨厌杀人的国君便能让天下统一。’（他又问：）‘谁会（愿意）归顺他呢？’我回答说：‘全天下的人没有不归顺服从的。大王可知晓禾苗生长的情况？在七八月间遇到干旱时，禾苗便会枯蔫。（假如此时）天上忽然飘来乌云，下起大雨，那么禾苗便会再次生机勃勃地生长。国君如果能够像甘霖一般，谁又能阻止百姓去归顺他呢？如今，天下的国君都喜欢杀人。一旦有一个不喜欢杀人的国君（出现），那么天下的百姓必然会伸长了脖子期望归顺于他。如果真的出现了这么一个国君，那么老百姓归顺于他，就像水往低处奔流一样，气势浩浩荡荡，谁又能够阻拦得住呢？’”

【解析】

孟子给梁襄王讲的是两个层次的内容：第一层，天下想要安定需要统一；第二层，不喜好杀人的君主才能统一天下。当然，这里面不好杀人的人的身份已经固定，就是一国之君。所以，百姓不好杀人是无用的。

孟子提出这段建议之时，正处于七雄争霸、战乱不止之时，孟子的“不嗜杀人者”实际上也指不喜欢战争的人，也就是维护和平的人。当时各国纷争不断，百姓饱受战争之苦，每天生活在水深火热之中，痛苦不堪。如果当时谁能够给百姓一个和平的生活环境，不再到处征战，那么百姓必然会闻风而至。由此而言，其实这段话的实际理论依据便是赢取民心。

五

【原文】

齐宣王[①]问曰：“齐桓、晋文[②]之事，可得闻乎？”

孟子对曰：“仲尼之徒，无道桓、文之事者，是以后世无传焉，臣未之闻也。无以[③]，则王乎？”

曰：“德何如，则可以王矣？”

曰：“保民而王，莫之能御也。”

曰：“若寡人者，可以保民乎哉？”

曰：“可。”

曰：“何由知吾可也？”

曰：“臣闻之胡龁[④]曰，王坐于堂上，有牵牛而过堂下者，王见之，曰：‘牛何之[⑤]？’对曰：‘将以衅钟[⑥]。’王曰：‘舍之！吾不忍其觳觫[⑦]，若无罪而就死地。’对曰：‘然则废衅钟与？’曰：‘何可废也？以羊易之！’不识有诸？”

曰：“有之。”

曰：“是心足以王矣。百姓皆以王为爱[⑧]也，臣固知王之不忍也。”

王曰："然。诚有百姓者。齐国虽褊[9]小，吾何爱一牛？即不忍其觳觫，若无罪而就死地，故以羊易之也。"

曰："王无异[10]于百姓之以王为爱也。以小易大，彼恶知之？王若隐[11]其无罪而就死地，则牛、羊何择焉？"

王笑曰："是诚何心哉！我非爱其财而易之以羊也，宜乎百姓之谓我爱也。"

曰："无伤也，是乃仁术也，见牛未见羊也。君子之于禽兽也，见其生，不忍见其死；闻其声，不忍食其肉。是以君子远庖厨也。"

【注释】

①齐宣王：齐威王之子，约公元前319至公元前301年在位。

②齐桓、晋文：指齐桓公、晋文公。齐桓公，春秋时齐国国君，为春秋时期第一个霸主。晋文公，春秋时晋国国君，为"春秋五霸"之一。

③无以：不得不。"以"同"已"。

④胡龁（hé）：人名，齐宣王身边的大臣。

⑤之：动词，去，往。

⑥衅（xìn）钟：古代的礼节之一，凡是国家的新器物或者宗庙开始投入使用之时，便会杀牲口取血，用来祭祀。这里是指杀牲口取血涂在钟的孔隙中。

⑦觳（hú）觫（sù）：因为害怕而发抖的样子。

⑧爱：吝啬。

⑨褊（biǎn）：衣服狭小。

⑩异：动词，奇怪，诧异，责怪。

⑪隐：怜悯，哀痛。

【译文】

齐宣王问道："齐桓公、晋文公在春秋时期称霸的事情，给我说说可以吗？”

孟子回答说：“孔子的学生并没有谈起过齐桓公、晋文公称霸的事情，因此后世并没有流传，我也没有听说过。如果大王一定要让我说，我就讲讲‘王道’吧！”

宣王问：“怎样的德行能够实行王道呢？”

孟子说：“安抚百姓就可以了。用这种方法去统一天下，没有人能够抵挡。”

宣王说：“像我这样的人可以安抚百姓吗？”

孟子说：“可以。”

宣王说：“为什么知道我可以呢？”

孟子说：“我曾经听胡龁说起过您的一件事，据说有一天您坐在大殿上看见有人牵着牛从殿下路过，您看到之后，就问：‘准备将牛牵到哪里去？’牵牛的人回答说：‘准备杀掉来取血祭钟。’您便说：‘将它放了吧！我不忍心看它瑟瑟发抖的样子，就仿佛看到毫无过错的人被处以死刑一般。’牵牛的人问：‘那么不需要祭钟了吗？’您说：‘怎么能不祭钟呢？就用羊来代替牛吧！’不知道有没有这样一件事？”

宣王回答说：“确实有这件事。”

孟子接着说：“凭大王如此的仁义之心便可以实行王道了。百姓们听说这件事都认为您太过小气，但我明白您并不是小气，而是于心不忍。”

宣王说：“是，确实有百姓认为我太过小气。虽然齐国并不大，但是我也不至于小气到连一头牛都舍不得杀。我实在是不忍心看它瑟瑟发抖的样子，就像是一个没有罪的人被判处死刑一样，所以才会用羊来取代它。”

孟子说：“大王也不要责怪百姓认为您小气。他们看到的只是您用体形比牛小的羊来代替牛，哪里知道其中的深意？何况，如果大王是因为不忍心看到牛毫无过错被宰杀，那么如此看来，羊与牛又有什么分别呢？”

宣王笑着说：“不错，关于这一点我自己都不知道是一种什么心理。我确实不是因为舍不得一头牛而用羊去代替，但老百姓这样认为，也确实有他们的道理。”

孟子说：“不要紧。大王这种不忍心正是仁慈的表现，因为您当时只看到了牛并没有见到羊。对于君子来说，这些飞禽走兽，见到它们活着，便不忍心见到它们被处死，听到它们的哀嚎声，更不忍心去吃它们的肉。因此，君子应当远离厨房。”

【解析】

齐宣王含蓄委婉地向孟子请教历史问题：“齐桓、晋文之事，可得闻乎？”其实他最关心的事情还是如何称霸天下。因为齐桓公与晋文公都是靠着“霸道”在春秋时期称霸天下的。不过，齐宣王没有料到，孟子素来反对“霸道”，因此当孟子听到这个问题之后，首先拒绝给齐宣王讲“霸道”而选择给他讲“王道”，也就是不靠武力取胜，而是靠道德来教化，靠仁政来统一天下，让天下归服。

这一部分“君子远庖厨”的心理解析，是孟子最常采用的手法，深入浅出，切中要害。它的作用只有一个，就是唤醒齐宣王心中“不忍”的仁慈之心。只要齐宣王的仁义之心被唤醒，那么仁政、王道便有了可以生长的土壤，也就成了水到渠成的事情。

六

【原文】

王说[1]曰："《诗》云[2]：'他人有心，予忖度[3]之。'夫子之谓也。夫我乃行之，反而求之，不得吾心。夫子言之，于我心有戚戚[4]焉。此心之所以合于王者，何也？"

曰："有复于王者曰：'吾力足以举百钧[5]，而不足以举一羽；明足以察秋毫之末[6]，而不见舆薪[7]。'则王许[8]之乎？"

曰："否。"

"今恩足以及禽兽，而功不至于百姓者，独何与？然则一羽之不举，为不用力焉；舆薪之不见，为不用明焉；百姓之不见保，为不用恩焉。故王之不王，不为也，非不能也。"

曰："不为者与不能者之形[9]何以异？"

曰："挟太山以超北海[10]，语人曰'我不能'，是诚不能也。为长者折枝，语人曰'我不能'，是不为也，非不能也。故王之不王，非挟太山以超北海之类也；王之不王，是折枝之类也。

"老吾老，以及人之老；幼吾幼，以及人之幼[11]。天下可运于掌[12]。《诗》云：'刑于寡妻[13]，至于兄弟，以御[14]于家邦。'言举斯心加诸彼而已。故推恩足以保四海，不推恩无以保妻子。古之人所以大过人者，无他焉，善推其所为而已矣。今恩足以及禽兽，而功不至于百姓者，独何与？

"权[15]，然后知轻重；度，然后知长短。物皆然，心为甚。王请度之！

“抑[16]王兴甲兵，危士臣，构怨[17]于诸侯，然后快于心与？”

王曰：“否。吾何快于是？将以求吾所大欲也。”

【注释】

①说：同“悦”，高兴的意思。

②《诗》云：引自《诗经·小雅·巧言》。

③忖度：猜想，揣测。

④戚戚：心动的感觉。

⑤钧：古时重量单位，一钧是三十斤。

⑥秋毫之末：指难以发现的细微的东西。

⑦舆：车子。薪：柴。

⑧许：赞同，同意。

⑨形：情况，状况。

⑩太山：同泰山。北海：即渤海。

⑪老吾老，以及人之老；幼吾幼，以及人之幼：第一个“老”与“幼”均为动词，老为尊敬，幼为爱护。

⑫运于掌：在掌心上运转，喻指治理天下很简单。

⑬刑：同“型”，为……树立榜样，当模范。寡妻：国君的正妻。

⑭御：治理。

⑮权：本指秤锤，这里用作动词，指为物体称重量。

⑯抑：选择连词，“还是”的意思。

⑰构怨：结怨。

【译文】

齐宣王高兴地说：“《诗经》中有言：‘他人怀有的心思，我能恰当地揣测出意思。’这句话说的正是先生您啊。我既然已经这样做，回过头来寻思为什么自己会这样做，却说不出个所以然来。经您这样一说，我便如醍醐灌顶明白过来。但是您说我这样的心思合于王道又如何理解呢？”

孟子说：“有人对大王说：‘我的力气能够举起三千斤，但是无法拿起一根羽毛；眼里能够看清每一根毫毛，却看不到一车木柴。’大王会相信这样的说法吗？”

齐宣王说：“不相信。”

孟子说：“现在大王的恩德能够施及禽兽，却偏偏看不到百姓，这是为什么呢？由此可见，拿不起一根羽毛，是因为根本就没有花费力气，看不到一车柴火，是因为根本就没有去看，不能安抚百姓是因为根本就没有施以恩德。因此大王没有称霸天下，是因为没有去做，而不是没有能力。”

宣王又问：“没有去做和没有能力的表现又有什么差别呢？”

孟子说：“想要胳膊下夹着泰山去跨越渤海，对别人说‘我没有这个能力’，那确实是没有能力；去给年老的人按摩肢体，对别人说‘我没有这个能力’，那便是不肯做，而不是没有能力。因此，大王没有称霸天下，并不属于想要夹着泰山跨越渤海的一类；大王没能称霸天下，属于不肯为年老的人按摩肢体的一类。

“尊敬自己的长辈并推广到尊敬他人的长辈，疼爱自己的孩子并推广到爱护他人的孩子，这样天下才能在您的手掌中运转。《诗经》中说‘教诲自己的妻子，遍及自己的兄弟，以此来统御天下’，说的便是要用这样的心思去惠及他人。因此，广施恩德才足以保有天下，不施以恩德，连自己的妻儿都保护不了。古之圣贤之所以能够胜于一般人，并不是出于其他原因，不过是善于将自己的行为施及他人罢了。现在大王的恩德已经施及飞禽走兽身上，但是老百姓得不到好处，这是什么原因呢？

“（东西）用秤称了才知道重量，用尺子量了才知道长短。世间的一切不过如此，而人的心思尤其如此。请大王考虑一下。

“难道大王要发动全国的军队，让战士冒着生命的危险，与别的国家结下仇怨，您的心里才觉得痛快吗？”

齐宣王说：“并不是这样，这样做我怎么会感到痛快呢？我不过是想通过这种方法来实现心中最迫切的愿望啊。”

【解析】

此部分乃孟子谈论仁政、王道的重要论断，对后世的影响颇深。齐宣王素来对文学游说之士颇为看重，因此他当政时欢迎各国游学之士，先后来到齐国讲学的学者有千人之多，孟子也是在此时来到齐国的。

从孟子对仁政、施德的表述中，可以看出孟子认为执政者要将自己的恩德推及百姓才能让百姓安乐，心甘情愿臣服。这是孔子的“推己及人”的所谓“忠恕之道”的极大扩展。

七

【原文】

曰：“王之所大欲，可得闻与？”

王笑而不言。

曰：“为肥甘不足于口与？轻暖不足于体与？抑为采

色①不足视于目与？声音不足听于耳与？便嬖②不足使令于前与？王之诸臣皆足以供之，而王岂为是哉？”

曰：“否。吾不为是也。”

曰：“然则王之所大欲可知已，欲辟③土地，朝④秦、楚，莅⑤中国而抚四夷也。以若所为求若⑥所欲，犹缘木而求鱼也。”

王曰：“若是其甚与？”

曰：“殆⑦有甚焉。缘木求鱼，虽不得鱼，无后灾。以若所为求若所欲，尽心力而为之，后必有灾。”

曰：“可得闻与？”

曰：“邹人与楚人战，则王以为孰胜？”

曰：“楚人胜。”

曰：“然则小固不可以敌大，寡固不可以敌众，弱固不可以敌强。海内之地，方千里者九，齐集有其一。以一服八，何以异于邹敌楚哉？盖亦反其本矣。

“今王发政施仁，使天下仕者皆欲立于王之朝，耕者皆欲耕于王之野，商贾皆欲藏于王之市，行旅皆欲出于王之途，天下之欲疾其君者，皆欲赴愬⑧于王。其若是，孰能御之？”

【注释】

①采色：即彩色。

②便（pián）嬖（bì）：君王身边被宠爱的人。

③辟：开辟。

④朝：使动用法，使……来朝。

⑤莅（lì）：临。

⑥若：如此，后来写作“偌”。

⑦殆：副词，表示不肯定，有“可能”“大概”“似乎”等多种含义。

⑧愬（sù）：通“诉”，控告。

【译文】

孟子说：“大王最大的愿望是什么？可以说给我听听吗？”

齐宣王笑了笑，并没有说话。

孟子接着问：“难道是因为鲜美的食物不够吃？还是因为轻暖的衣服不够穿？或者因为瑰丽的颜色不够看？抑或是因为悦耳的音乐不够听？还是因为身边服侍的人不够听候差遣？这些，您手下的大臣都会尽全力来满足您，您不会真是为了这些吧？”

宣王说：“不，我为的并不是这些。”

孟子说：“那么，我便知道您最大的愿望了，您是想要扩充领土，让秦国、楚国这样的大国来向您称臣，统治中原，而安抚落后的外族。不过，以您这样的行为来实现您这样的愿望，就好像爬到树上去找鱼一样。”

宣王说：“竟然有这么严重吗？”

孟子说：“恐怕比这还要严重呢。爬到树上去找鱼，即使找不到鱼也不会带来什么危险。但是如果按照您现在的做法来实现您的愿望，费心费力地去做了，祸患一定会随后而至。”

宣王说：“可以将这个道理讲给我听听吗？”

孟子说：“如果邹国与楚国交战，大王认为哪国会取胜？”

宣王说：“必定是楚国胜出。”

孟子说：“显然，小国不可以与大国为敌，人口少的国家不能与人口众多的国家为敌，弱国不能与强国为敌。

中国的土地，方圆千里的共有九块，齐国不过是其中之一罢了。您想要用这一块去征服其他八块，这与邹国跟楚国交战有何差异？大王为什么不反过来想想，从根本上解决问题呢？

“如果大王施以仁政，让天下当官的人都想到您的朝廷中来当官，天下的农民都想到您的土地上来种地，天下做生意的人都想到您的国家来做买卖，出行的人都想从您的国家路过，天下痛恨本国国君的人都来您这里控诉。如果真的做到了这些，谁还能与您为敌呢？”

【解析】

对于上一节齐宣王以动武的方式实现自己愿望之说，孟子在这里抓住时机进行了反驳。孟子开篇就问齐宣王最大的愿望是什么。宣王早已领教孟子的厉害，自然笑而不语，不愿意将自己的想法告知于他。孟子早已猜到齐宣王的想法，欲擒故纵，连问了五个不是问题的问题。在齐宣王忍不住对这些问题进行否认的时候，孟子马上切入正题，说出齐宣王的最大愿望，并毫不避讳地指出齐宣王犯了缘木求鱼的大错。

听到孟子说自己的做法如此荒唐，宣王自然要问个究竟。于是孟子借机开始铺排扬厉，逐步升级，将齐宣王一心想要采取的“霸道”做法与自己提出的仁政做法进行比较，让齐宣王知晓两种做法产生的不同结果。

八

【原文】

王曰：“吾惛[1]，不能进于是矣。愿夫子辅吾志，明以教我。我虽不敏，请尝试之。”

曰：“无恒产[2]而有恒心者，惟士为能。若[3]民，则无恒产，因无恒心。苟无恒心，放辟邪侈[4]，无不为已。及陷于罪，然后从而刑之，是罔[5]民也。焉有仁人在位罔民而可为也？是故明君制[6]民之产，必使仰足以事父母，俯足以畜妻子，乐岁终身饱，凶年免于死亡。然后驱而之善，故民之从之也轻[7]。

“今也制民之产，仰不足以事父母，俯不足以畜妻子；乐岁终身苦，凶年不免于死亡。此惟救死而恐不赡[8]，奚暇[9]治礼义哉？

“王欲行之，则盍反其本矣！五亩之宅，树之以桑，五十者可以衣帛矣。鸡豚狗彘[10]之畜，无失其时，七十者可以食肉矣。百亩之田，勿夺其时，八口之家可以无饥矣。谨庠序之教，申之以孝悌之义，颁白者不负戴于道路矣。老者衣锦食肉，黎民不饥不寒，然而不王者，未之有也。”

【注释】

①惛：同“昏”，糊涂，昏乱。

②恒产：赖以生存的固定财产，如土地、田园、林木、牧畜等。

③若：转折连词，至于。

④放：放荡。辟：同“僻”，与“邪”的意思相近，指歪门邪道。侈：放纵挥霍。放辟邪侈指放纵坏的欲望来违法乱纪。

⑤罔：同“网”，“陷害”的意思。

⑥制：制定制度、政策。

⑦轻：容易，轻松。

⑧赡：足够，充足。

⑨奚暇：怎么顾得上。奚：疑问词，哪里，怎么。暇：余暇，空闲。

⑩彘（zhì）：猪。

【译文】

齐宣王说："我心智昏庸，无法深入地领会先生的意思。希望先生能够辅佐我，更明确地教导我。虽然我不是很聪明，但愿意去试一试。"

孟子说："没有固定的产业却拥有坚定的心志，只有读书的人才能办到。至于普通的老百姓，如果没有固定的产业，便也没有了坚定的心志。如果没有了坚定的心志，便会开始四处为非作歹，没有什么事情是他们不做的。等他们犯了罪才开始处罚他们，这才叫祸害百姓。贤德的君主在位治国期间怎会允许祸害百姓的事发生？因此贤德的君主会划分给百姓一定的产业，让他们上可以侍奉父母，下可以供养妻儿，风调雨顺的年岁能够天天吃饱，遇到灾荒年岁也不至于饿死；然后引导他们向善，这样老百姓都会愿意听从。

"如果划给百姓的产业，上不足以侍奉父母，下不能够供养妻儿；风调雨顺的年岁还在每天受苦，遇到灾荒年岁只能被饿死，这样的情况连养活自己都还成问题，谁还有闲暇的时间来学习礼仪呢？

"王如果要施行仁政，为什么不从根本上做起呢？五亩大的院子里种植桑树，五十岁以上的老人便可以穿上丝绵衣服了。将鸡、狗、猪等家禽家畜好好畜养起来，七十岁以上的老人便有肉可吃了。上百亩的耕地，如果不去阻拦百姓生产，那么八口的家庭便能够吃饱了。认真地开办学校，用孝敬父母尊重兄长的道理好好教导学生，满头白发的人也就不用在路上背着重重的行李行走了。老人有丝绵衣服穿，有肉吃，百姓能够吃饱穿暖，天下还不来归服，这是从来没有过的情况。”

【解析】

被孟子的一番言论说动的齐宣王，态度诚恳地向孟子请教学问。于是，孟子便开始正面展开自己的治国方略和施政纲领。

孟子首先提出有恒产才能有恒心，先丰衣足食，才能授以礼仪。这便是《管子·牧民》中所谓“仓廪实则知礼节，衣食足则知荣辱”的道理。其实这也就是先满足基本的生存需求，才能追求更高层次的精神需求的道理。

孟子已经看到“无恒产者”是破坏社会稳定最大的危险因素。因为在当时，国家制定相关政策时，通常都是从富民的角度出发，容易忽略底层人民的利益。孟子直接提出要让老百姓过上丰衣足食、安居乐业的生活，让他们不仅能够养家糊口，还能进一步发展自己的产业。当他们不再为自己的生活所累时，再教他们礼仪，才能起到成效。

之后，孟子又进入到第二层意思，也就是他所描绘的富民兴教的蓝图，让齐宣王憧憬未来，就此施行仁政。

本章的第五、六、七、八节在《孟子》原书中为一章，为了便于理解与阅读，在此进行了拆分。这一章是介绍孟子政治学说的重要篇章，而且很多选段都成了脍炙人口的文学名段，对于研究政治、经济、哲学、社会以及文学都有重要价值。

卷二　梁惠王下

一

【原文】

齐宣王问曰："交邻国有道乎？"

孟子对曰："有。惟仁者为能以大事小，是故汤事葛[1]，文王事昆夷[2]。惟智者为能以小事大，故太王事獯鬻[3]，勾践事吴[4]。以大事小者，乐天者也；以小事大者，畏天者也。乐天者保天下，畏天者保其国。《诗》云：'畏天之威，于时保之。'"

王曰："大哉言矣！寡人有疾，寡人好勇。"

对曰："王请无好小勇。夫抚剑疾视，曰：'彼恶敢当我哉！'此匹夫之勇，敌一人者也。王请大之！

"《诗》云：'王赫斯[5]怒，爰[6]整其旅，以遏徂莒[7]，以笃周祜[8]，以对于天下。'此文王之勇也。文王一怒而安天下之民。

"《书》曰：'天降下民，作之君，作之师。惟曰其助上帝宠之。四方有罪无罪惟我在，天下曷敢有越厥[9]志？'一人衡行[10]于天下，武王耻之。此武王之勇也。而武王亦一怒而安天下之民。今王亦一怒而安天下之民，民惟恐王之不好勇也。"

【注释】

①汤事葛：汤，商汤，商朝的建立者。葛，葛伯，葛国的国君。葛国乃

紧邻商汤的一个小国，其旧址在现在的河南宁陵北十五里处。

②文王事昆夷：文王：周文王。昆夷：也作“混夷”，乃周朝初年的西戎国名。

③太王事獯（xūn）鬻（yù）：太王：周文王的祖父，即古公亶父。獯鬻：也被称为“猃狁（xiǎn yǔn）”，北方的少数民族，汉代之后称为“匈奴”。

④勾践：春秋时越国的国君，公元前497年至公元前465年在位。吴：即春秋时吴国的国君夫差。

⑤赫斯：发怒的样子。

⑥爰：句首助词，无实义。

⑦遏：止。徂（cú）：到，往。莒：古时国名，在今山东莒县，公元前431年被楚国所灭。

⑧笃：厚。祜（hù）：福。

⑨厥：用法同“其”。

⑩衡行：即“横行”。

【译文】

齐宣王问道：“与邻国交往有什么好的方法吗？”

孟子回答说：“有。只有仁德的爱好和平的国君才能够用大国的身份去侍奉小国，因此商汤可以侍奉葛伯，周文王能够侍奉昆夷。只有有才能有智慧的国君才能用小国去侍奉大国，因此古公亶父才会去侍奉獯鬻，越王勾践才会去侍奉吴王夫差。用大国的身份去侍奉小国，是不愿意欺凌弱小而以天命为乐的人；用小国去侍奉大国，是不敢冒犯强者而敬畏天命的人。以天命为乐的人可以让天下安定，敬畏天命的人能够安定自己的国家。《诗经》中说：‘只有畏惧上天的威严，天下才会因此而安定。’”

宣王（听后）说：“先生的话语真深奥啊！但是，我有一个毛病，就是喜欢逞强好勇。”

孟子说：“那就请大王您不要好小勇，像那样按着剑，怒气冲冲地瞪着眼睛说：‘他怎可阻拦我？’这不过是匹夫之勇，只能与几个人较量。请大王不要喜欢这种匹夫之勇！

“《诗经》中说：‘周文王勃然大怒，下令要调兵遣将，阻止那些侵略莒国的敌军，让周国恢复了安定，没有辜负天下百姓的期望。’这是周文王的勇。周文王一怒便让天下百姓都得到了安定。

“《尚书》中说：‘上天让老百姓降生于世，又为他们降生了君王，降生了师表，这些君王与师表的唯一作用，便是帮助上苍来爱护黎民百姓。因此，不管他们是有罪之人还是无罪之人，都由我来负责，天下有哪个人敢违背上天的意志呢？’只要有一个人在天下横行霸道，周武王便觉得羞耻，这便是周武王的勇。周武王一发怒便让天下安定了。现在大王也能一怒便让天下安定的话，那么，百姓还担心大王不好勇呢。”

【解析】

这部分主要讲了两方面的内容，一个是外交策略，另一个便是小勇与大勇的问题。

这一次，齐宣王与孟子讨论了外交的问题。孟子认为在外交方面，大国要学会仁义，与小国友好相处，小国不能夜郎自大，要主动与大国搞好关系，只有做到这两个方面，才能出现大国安定天下、小国安定国家的和谐局面。而要做到这两点，就要求大国能以天命为乐，顺应规律，不欺小凌弱，要替上天来行使职责；小国要能畏惧天命，服从天命，不与大国为敌，以维护自己的生存。这里的天命并不一定要将其神秘化，也可以看成是自然发展形成的大的局面、趋势。

齐宣王对孟子提出的这套外交策略有些摸不着头脑。因为在战国时期，齐宣王所见到的都是靠战争来解决问题。现在孟子提出，不管你的国家是大是小都不应该打仗，让齐宣王颇为不解。于是他借自己好勇为由，进行询问。之后，孟子就大勇与小勇问题展开论述。他直白地提出，小勇能胜一人，而大勇可定天下。由此，孟子让齐宣王对“勇”有了不同的理解，同时再次提出了自己的仁政主张。

二

【原文】

齐宣王见孟子于雪宫[①]。王曰：“贤者亦有此乐乎？”

孟子对曰：“有。人不得，则非[②]其上矣。不得而非其上者，非[③]也；为民上而不与民同乐者，亦非也。乐民之乐者，民亦乐其乐；忧民之忧者，民亦忧其忧。乐以天下，忧以天下，然而不王者，未之有也。

“昔者齐景公问于晏子[④]曰：‘吾欲观于转附[⑤]、朝儛[⑥]，遵海而南，放于琅邪[⑦]。吾何修而可以比于先王观也？’

“晏子对曰：‘善哉问也！天子适诸侯曰巡狩。巡狩者，巡所守也。诸侯朝于天子曰述职。述职者，述所职也。无非事者。春省耕而补不足，秋省敛而助不给。夏谚曰：“吾王不游，吾何以休？吾王不豫[⑧]，吾何以助？一游一豫，为诸侯度。”今也不然，师行而粮食，饥者弗食，劳者弗息。睊睊胥谗[9]，民乃作慝[10]。方[11]命虐民，饮食若流。流连荒亡，为诸侯忧。从流下而忘反，谓之流；从流上而忘反，谓之连；从兽无厌谓之荒；乐酒无厌谓之亡。先王无流连之乐，荒亡之行。惟君所行也。’

“景公悦，大戒[12]于国，出舍于郊。于是始兴发补不足。召大师[13]曰：‘为我作君臣相说之乐！’盖《徵招》《角招》[14]是也。其诗曰：‘畜君何尤[15]？’畜君者，好君也。”

【注释】

①雪宫：齐宣王的离宫，古时在正宫之外建立的临时住所。

②非：动词，认为……非，刁难，埋怨。

③非：错误的，不对的。

④齐景公：春秋时期齐国国君，公元前547年到公元前490年在位。晏子：春秋时齐国贤相。

⑤转附：山名。

⑥朝儛（wǔ）：山名。

⑦琅邪：山名，位于今山东省诸城东南。

⑧豫：义同“游”。

⑨睊睊（juàn）：因愤恨而侧目相视的样子。胥：皆，都。谗：诽谤，说坏话。

⑩慝（tè）：恶。

⑪方：反，违反。

⑫大戒：准备充足。

⑬大（tài）师：古时的乐官之长。

⑭《徵招》《角招》：徵与角是古代五音（宫、商、角、徵、羽）中的两

个。招：同“韶”，乐曲名。

⑮畜（xù）：喜欢，喜好。尤：错误，过错。

【译文】

齐宣王在雪宫中会见孟子。齐宣王说：“贤者也有这样的快乐吗？”

孟子答复说：“有的。人们如果得不到这种快乐，必定会埋怨他们的国君。民众因为得不到这种快乐而埋怨君主是不对的，但是作为老百姓的君主不与民同乐也是不对的。君主以百姓的忧愁为忧愁，百姓也会以君主的忧愁为忧愁。君主以百姓的快乐为快乐，百姓也以君主的快乐为快乐。以天下人的快乐为快乐，以天下人的忧愁为忧愁，这样还不能让天下归顺，这种情况还没有出现过。

“从前齐景公询问晏子：‘我准备到转附、朝儛这两座山上去游玩，然后沿着海岸一路向南，到达琅邪山。我要如何安排才能与古代圣贤的君主巡游相比呢？’

“晏子回答说：‘这个问题问得妙！天子到诸侯国视察叫作巡狩。巡狩的意思便是去巡视各诸侯国所镇守的疆土。诸侯去朝拜天子叫作述职。述职简单来说就是报告一下他职责内都做了什么工作。这些都是正事。春天的时候，巡视农田耕作的情况，粮食不够吃的百姓，要发放补助；秋天则巡视收获的情况，对歉收的给予补助。夏朝的谚语说：“我的君王不出来巡视，我怎么能够休养生息？我的君王不出来巡视，我的补助从何而来？这样的游历巡视足可以作为诸侯的法度。”现在可不是这样的，国君一要出游便劳师动众，向百姓索取粮食。饥饿的人得不到食物补助，劳苦的人得不到休息。百姓（对君王）侧目而视，怨声载道，民众开始被迫作恶。这种出游违反了上天的意愿，虐待百姓，（巡游的队伍）大吃大喝像流水一般浪费。如此流连荒亡，连诸侯都开始为此忧愁。（那么什么叫作流连荒亡呢？）顺流而下乐而忘返叫作流；逆流而上不知回返叫作连；不知疲倦地打猎叫作荒，毫无节制地饮酒作乐叫作亡。古代圣贤君王既没有流连的享乐，也没有荒亡的行为。现在再看大王您的行为，只能您自己来选择了。'

"齐景公听完晏子的话十分高兴，先在都城内做了充足准备，然后驻扎在郊外，打开粮仓赈济那些贫困的人，随后又召集乐官说：'替我创作一些君臣同乐的乐曲！'于是便有了《徵招》《角招》。其中有句歌词：'畜君有什么错呢？''畜君'，便是崇敬爱戴国君的意思。"

【解析】

在这次齐宣王与孟子的讨论中，两人不仅说到"乐"，同时也说到"忧"，孟子更完整地阐述了儒家政治学说中的民本主义思想。

宋代的范仲淹对其中"乐以天下，忧以天下"一句进行加工，写下了《岳阳楼记》中让人传诵千年的名句"先天下之忧而忧，后天下之乐而乐"。

这里孟子借着齐景公与晏子的故事来劝说齐宣王，要敢于为百姓的利益做出牺牲，这样才能名垂千古，四方归顺。

三

【原文】

孟子见齐宣王，曰："所谓故国[1]者，非谓有乔木之谓也，有世臣[2]之谓也。王无亲臣矣，昔者所进[3]，今日不知其亡[4]也。”

王曰：“吾何以识其不才而舍之？”

曰：“国君进贤，如不得已，将使卑逾[5]尊，疏逾戚，可不慎与？左右皆曰贤，未可也；诸大夫皆曰贤，未可也；国人皆曰贤，然后察之；见贤焉，然后用之。左右皆曰不可，勿听；诸大夫皆曰不可，勿听；国人皆曰不可，然后察之；见不可焉，然后去之。左右皆曰可杀，勿听；诸大夫皆曰可杀，勿听；国人皆曰可杀，然后察之；见可杀焉，然后杀之。故曰国人杀之也。如此，然后可以为民父母。”

【注释】

①故国：有着悠久历史的国家。

②世臣：世代立下功勋的大臣。

③进：任用。

④亡：去位，去职。

⑤逾（yú）：超过。

【译文】

孟子拜见齐宣王，说：“所谓历史悠久的国家，并不是说国内有着高大的树木，而是说要有世代立下功勋的臣子。现在大王身边没有可以亲近信赖的大臣了，过去任用的那些人，现在也不知道跑哪里去了。”

宣王说：“我要如何识别没有才干的人而选择不任用他们呢？”

孟子说：“国君任用人才，如果是情非得已，就会让地位低的来超越地位高的，关系远的来超过关系近的，对这件事怎么能不慎重呢？（拿一个人来说）身边侍奉的大臣都在跟您说他的好话，这还不行；大夫们都说他的好话，这也不够；全国的人民都说他的好，这才应该去考察他；如果见到他确实如此，便可以任用他。身边侍奉的大臣都说不行，不要听信；大夫们都说不行，也不要听信；全国的百姓都说他不行，这才应该去考察他；如果见他确实不行，这时才可以罢免他。身边侍奉的大臣都说此人该杀，不要听信；大夫们都说此人该杀，也不要听信；全国的百姓都说此人该杀，这时就应该去考察他；如果见他确实该杀，这时才将他杀掉。因此，这是全国的人说要杀掉他的。这样，君主才能算是百姓的父母。”

【解析】

孟子在这里提出了选拔人才的观点。尊贤，一向是儒家在政治上的重要主张之一。在选才的标准上，孟子并没有像孔子那样强硬地提出“仁”的要求，继承和提倡孔子“民之所好好之，民之所恶恶之”的主张。

孔子提出的不过是一般人品或者人才的鉴别方法，而孟子具体到为国家选拔人才。因此，他在这里面掺入“以民为本”的政治思想，要求国君听取百姓的意见来选拔人才，处决罪犯。

四

【原文】

齐人伐燕[①]，胜之。宣王问曰：“或谓寡人勿取，或谓寡人取之。以万乘之国伐万乘之国，五旬而举之[②]，人力不至于此。不取，必有天殃[③]。取之，何如？”

孟子对曰："取之而燕民悦，则取之。古之人有行之者，武王是也[4]。取之而燕民不悦，则勿取。古之人有行之者，文王是也[5]。以万乘之国伐万乘之国，箪食壶浆[6]以迎王师，岂有他哉？避水火也。如水益深，如火益热，亦运[7]而已矣。"

【注释】

①齐人伐燕：齐宣王五年（前315年），燕王哙将燕国让给了燕国相国子之，引起国人不满，将军市被与太子平联合进攻子之，子之奋起反抗，将两人杀死，国内一片混乱。齐宣王趁此机会对燕国发起进攻，很快便取得胜利。

②五旬而举之：《战国策·燕策》中记载，当齐国攻打燕国之时，燕国"士卒不战，城门不闭"，因此，齐国只花了五十天的时间便进入燕国都城，将燕王哙和子之杀死。

③不取，必有天殃：因为齐宣王认为攻打燕国的过程太过顺利，"人力不至于此"，是天意。因此，不去攻打它仿佛违背了天意，会遭到谴责。

④武王是也：指武王伐纣。

⑤文王是也：指文王占据了三分之二的天下，但依然服侍殷商而没有造反。

⑥箪（dān）：盛饭的竹筐。食：饭。浆：米酒。

⑦运：转。

【译文】

齐国攻打燕国，胜利而归。齐宣王问（孟子）："有人劝我不要去攻占燕国，也有人劝说我去攻占燕国。我认为，一个拥有万辆兵车的大国去攻打另一个同样拥有万辆兵车的大国，只用五十天便打下来了，只靠人力是远远不够的。（一定是天意如此。）如果我们不吞并它的话，想必会遭到天谴吧。攻占它，如何？”

孟子回答说：“如果攻占它能够让燕国的百姓高兴，那么就去攻占它。古人便是这样做的，周武王就是其中之一。如果攻占它不能让燕国的百姓高兴，那么就不要去攻占它。古人也有这样做的，周文王便是如此。以齐国这样一个拥有万辆兵车的大国去攻占燕国这样一个同样拥有万辆兵车的大国，燕国的百姓却用饭筐装着饭，用酒壶装满酒来对您的军队表示欢迎，难道还有其他原因吗？他们最想要的不过是（让您帮助他们）摆脱水深火热的日子罢了。如果您让他们陷入更深的水，经受更热的火的炙烤，那么他们很快便会转而向其他人求助了。”

【解析】

孟子在此处态度十分谨慎，将两种选择均交给齐宣王自己来选择。不过如果仔细阅读不难发现，其实孟子对齐宣王占领燕国是持支持态度的。由此我们可以看出，孟子并不是死搬教条的书呆子，而是具有灵活通权达变思想的政客。他认为当时燕国的百姓正处于水深火热之中，因此不反对齐宣王率军进入。所以说，孟子并不是一味地反对战争，只要战争是正义的，符合人民的利益与意愿，他也支持。

五

【原文】

齐人伐燕，取之。诸侯将谋救燕。宣王曰：“诸侯多谋伐寡人者，何以待之？”

孟子对曰：“臣闻七十里为政于天下者，汤是也。未闻以千里畏人者也。《书》曰：‘汤一征，自葛始[1]。’天下信之，东面而征，西夷怨；南面而征，北狄怨，曰：‘奚为后我？’民望之，若大旱之望云霓[2]也。归市者[3]不止，耕者不变，诛其君而吊[4]其民，若时雨降，民大悦。《书》曰：‘徯我后[5]，后来其苏。’今燕虐其民，王往而征之，民以为将拯己于水火之中也，箪食壶浆以迎王师。若杀其父兄，系累[6]其子弟，毁其宗庙，迁其重器[7]，如之何其可也？天下固畏齐之强也，今又倍地而不行仁政，是动天下之兵也。王速出令，反其旄倪[8]，止其重器，谋于燕众，置君而后去之，则犹可及止也。”

【注释】

①汤一征，自葛始：《尚书》中佚失的文章。

②云霓：虹霓。虹霓在早晨出现于西方预示着将有降雨。

③归市者：做买卖的人。

④吊：这里是安抚、慰问的意思。

⑤徯（xī）：等待。后：王，君主。

⑥系累：束缚，捆绑。

⑦重器：指贵重的祭器。

⑧旄（mào）倪（ní）：旄：通“耄”，八十、九十岁的人称为耄，这里指老年人。倪：指小孩子。

【译文】

齐国攻打燕国，并将其占领。一些诸侯国就策划着要去营救燕国。齐宣王说：“很多诸侯都在计划着攻打我，我该如何是好呢？”

孟子回答说：“我听闻，（历史上）有凭借区区七十里的国土就统一天下的，商汤便是如此。我却没有听说过，拥有方圆千里的国土而害怕他国的。《尚书》中说：‘商汤征伐，以葛国为最初的目标。’全天下的人都相信了，因此，当他向东方进军的时候，西边国家的百姓便开始抱怨起来；当他向南方进军的时候，北方国家的百姓便开始抱怨起来。（百姓为什么会抱怨呢？）百姓们都说：‘为什么要将我们放到后面呢？’百姓都期盼他的到来，就像是久旱的土地期盼着乌云与虹霓一样。做买卖的继续做买卖，耕种土地的继续耕种土地，（商汤做的）不过是诛杀那些暴虐的国君，抚慰那些受苦受难的百姓，就像天上降下及时雨一样，百姓自然十分高兴。《尚书》说：‘静候我们的君王，他来了，我们便也复活了。’如今，燕国的国君虐待老百姓，大王的军队去征伐他，燕国的百姓认为您是要将他们从水深火热中解救出来，因此用饭筐装着饭，用酒壶盛着酒浆欢迎您的军队。但是（您）杀死了他们的父兄，抓走了他们的子弟，毁掉了他们的宗庙，抢走了他们的宝器，这让他们如何忍受？天下各国原本就担心齐国的强大，现在齐国的土地又扩张了一倍，如果还不施行仁政，那么一定会激起各国来讨伐齐国。大王你赶紧下达命令，将燕国大小俘虏全部放回，停止搬运燕国的宝器，然后与各界人士商议，推选出一位新的燕国国君，最后将齐国的军队从燕国撤回。这样，才能及时制止各国兴兵讨伐齐国。”

【解析】

在这段对话中，孟子先由商汤征伐开始，讲述了民心向背的问题。他告诉齐宣王，商汤讨伐的军队不管到哪里都会受到当地百姓的夹道欢迎，甚至他们晚去的地方的百姓还会抱怨。这一切都是因为商汤只杀残暴的君王，并不会打扰到百姓，因此百姓盼他们就像久旱的土地期盼及时雨一样。现在，燕国的老百姓本来都认为齐国的军队像商汤的军队一样是来拯救他们于水火之中的，没想到却是引狼入室。在此番分析之后，孟子直接表达了自己的意见，劝谏齐宣王及时停止各种扰民、乱民的活动，快些撤军，避免百姓奋起而攻之。

民心向背的问题一直是孟子政治思想的核心，对后世影响深远。

六

【原文】

滕文公①问曰："滕，小国也，间②于齐、楚。事齐乎？事楚乎？"

孟子对曰："是谋非吾所能及也。无已，则有一焉：凿斯池③也，筑斯城也，与民守之，效④死而民弗去，则是可为也。"

【注释】

①滕文公：滕国的国君。滕国，古国名，乃西周分封的诸侯国，在今山东滕州西南，姬姓，开国国君为周文王的儿子错叔绣。

②间：处。

③池：护城河。

④效：献，致。

【译文】

滕文公问（孟子）："滕国这样一个小国，处于齐国与楚国两个大国之间。是向齐国归服好，还是向楚国归服好呢？”

孟子回答说：“归服于哪个国家不是我所能参与谋划的。如果您一定要我说出自己的想法，那我倒是想到了另一个办法：将护城河挖深，将城墙修筑坚固，与老百姓一起去守护它，就算献出生命，老百姓也不会撤退。如果做到这样，那么便可以有所作为了。”

【解析】

在七雄纷争的年代，滕这样的小国能够在夹缝中求生存实属不易。滕文公想要通过外交的手段让国家得以保全，于是向孟子询问建议。孟子并没有明确地表明这种手段是不可靠的，但是从侧面说明了这一点。孟子认为与其卑躬屈膝地与虎谋皮，倒不如自己自立自强，加固城墙、挖深护城河，争取民心。

卷三　公孙丑上

一

【原文】

公孙丑[①]问曰："夫子当路[②]于齐，管仲、晏子之功，可复许[③]乎？"

孟子曰："子诚齐人也，知管仲、晏子而已矣。或问乎曾西[④]曰：'吾子与子路孰贤？'曾西蹴然[⑤]曰：'吾先子[⑥]之所畏也。'曰：'然则吾子与管仲孰贤？'曾西艴然[⑦]不悦，曰：'尔何曾[⑧]比予于管仲？管仲得君，如彼其专也，行乎国政，如彼其久也，功烈如彼其卑也，尔何曾比予于是？'"曰："管仲，曾西之所不为也，而子为[⑨]我愿之乎？"

曰："管仲以其君霸，晏子以其君显。管仲、晏子犹不足为与？"

曰："以齐王，由[⑩]反手也。"

曰："若是，则弟子之惑滋甚。且以文王之德，百年而后崩[⑪]，犹未洽于天下。武王、周公[⑫]继之，然后大行。今言王若易然，则文王不足法与？"

曰："文王何可当也？由汤至于武丁，贤圣之君六七作[⑬]，天下归殷久矣，久则难变也。武丁朝诸侯有天下，犹运之掌也。纣之去武丁未久也，其故家遗俗，流风善政，犹有存者。又有微子、微仲、王子比干、箕子、胶鬲——皆贤人也——相与辅相[14]之，故久而后失之也。尺地，莫非其有也，一民，莫非其臣也；然而文王犹方百里起，是以难也。齐人有言曰：‘虽有智慧，不如乘势；虽有镃基[15]，不如待时’。今时则易然也。夏后、殷、周之盛，地未有过千里者也，而齐有其也矣。鸡鸣狗吠相闻，而达乎四境，而齐有其民矣。地不改辟矣，民不改聚矣，行仁政而王，莫之能御也。且王者之不作，未有疏于此时者也；民之憔悴于虐政，未有甚于此时者也。饥者易为食，渴者易为饮。孔子曰：‘德之流行，速于置邮[16]而传命。’当今之时，万乘之国行仁政，民之悦之，犹解倒悬也。故事半古之人，功必倍之，惟此时为然。”

【注释】

①公孙丑：孟子弟子，齐国人。

②当路：当政，执掌政权。

③许：复兴、兴盛。

④曾西：名曾申，字子西，鲁国人，孔子学生曾参的孙子，也有一说认为是曾参之子。

⑤蹴（cù）然：不安的样子。

⑥先子：指已经过世的长辈，这里特指曾西的爷爷曾参。

⑦艴（fú）然：恼怒的样子。

⑧曾：副词，竟然、居然。

⑨为：同“谓”，认为。

⑩由：同“犹”，好像。

⑪百年而后崩：相传周文王活了九十七岁。百年泛指寿命长。

⑫周公：姓姬名旦，周文王之子，武王的弟弟，辅佐武王讨伐商纣，后又辅助成王定乱，安定天下。

⑬作：在这里为量词，相当于现代口语中的“起”。

⑭相与：双音副词，“共同”的意思。辅相：双音动词，辅助。

⑮镃（zī）基：农具，指如今的锄头之类。

⑯置邮：置和邮都是名词，相当于后代的驿站。

【译文】

公孙丑问（孟子）：“先生如果在齐国执掌政权，那么管仲、晏子的功业能够重现吗？”

孟子说：“你不愧是齐国人，只知道管仲、晏子。曾经有人询问曾西：‘您与子路相比，谁更有才能？’曾西不安地说：‘子路可是我的先辈所敬畏的人，我怎么可以与他相比呢？’那人又问：‘那么您与管仲相比，哪个更有才能呢？’曾西马上严肃起来，说：‘你怎么能拿管仲来与我相比？管仲备受齐桓公信任，行使国家的政权那么久，做出来的成绩却那么少，你怎么能拿他来与我相比呢？’”孟子接着说：“管仲是曾西都不想要跟他比的人，你认为我会愿意与他相比吗？”

公孙丑说：“管仲辅佐齐桓公称霸天下，晏子辅佐齐景公名扬诸侯。难道管仲、晏子还不值得与您相比吗？”

孟子说：“凭借当时齐国的实力用王道来统一天下，易如反掌。”

公孙丑说：“您既然这样说，身为弟子的我更加疑惑不解了。如周文王那般的人，活了近一百岁才去世，还是没能统一天下。直到周武王、周公继承了他的事业，才统一了天下。现在您说用王道来统一天下易如反掌，那么，连周文王都不值得学习了吗？”

孟子说：“我如何能够比得上周文王呢？由商汤到武

丁，贤德的君主只有六七个，天下人归顺殷朝已经很长时间，长到难以有所变动，武丁使诸侯来朝，统治天下易如反掌。纣王离武丁并不久远，武丁的勋臣世家、良好习俗、传统风尚、仁慈的政治都尚有遗存，又有微子、微仲、王子比干、箕子、胶鬲等一批贤臣辅佐，因此统治很久才丢掉政权。当时天下的每一寸土地都归纣王所有，天下的每一个百姓均被纣王所统治，在那种情况下，文王还能从方圆百里的小地方兴起，是十分困难的。齐国人有一句话说：‘即使有智慧，不如抓住形势；即使有锄头，不如等到农时。’现在的局势有利于用王道来统一天下。夏、商、周三代兴盛的时候，没有哪国的领土超过方圆千里，而现在的齐国早已超过了。鸡鸣狗叫的声音到处都能听得见，一直到四方的边境，这说明齐国的人口众多。国土不需要再去开辟，百姓也不需要再增加，如果能够通过施行仁政来统一天下，没有人能够拦得住。更何况，统一天下的贤君尚未出现，中间间隔从来没有这么久过；老百姓饱受暴政的欺压，从来没有如此严重过。饥饿的人不管什么都吃，口渴的人不管什么都喝。孔子说：‘道德的流行，比驿站传递政令还要迅猛。’现在这个时候，拥有一万辆兵车的大国施行仁政，老百姓高兴得就像是被吊着的人得到解救一样。因此，只花古人一半的时间和精力，便可以取得两倍于古人的功绩，只有这个时候才做得到吧。”

【解析】

作为儒家“王道”思想的传承者与推行人，孟子不愿意、更不屑与推行“霸道”政治的管仲、晏婴相比。

孟子坚持在齐国推行“王道”政治，靠施行仁政来统一天下。他认为，不管是从人口、土地还是时机看，在齐国推行仁政乃是最佳的时机，可以收到事半功倍的效果。

从某种意义上来讲，时机比智慧、工具等更重要。一旦时机成熟，就应该马上付诸行动。孟子正是看到了这一点，才会在与公孙丑的对话中毫不避讳地指出推行“王道”的重要性。

二

【原文】

“敢问夫子恶乎长？”①

曰：“我知言，我善养吾浩然②之气。”

“敢问何谓浩然之气？”

曰：“难言也。其为气也，至大至刚，以直养而无害，则塞于天地之间。其为气也，配义与道。无是，馁也。是集义所生者，非义袭而取之也。行有不慊③于心，则馁矣。我故曰：告子未尝知义，以其外之也。必有事焉，而勿正④，心勿忘，勿助长也。无若宋人然：宋人有闵⑤其苗之不长而揠⑥之者，芒芒然⑦归，谓其人曰：‘今日病矣！予助苗长矣！’其子趋而往视之，苗则槁矣。天下之不助苗长者寡矣。以为无益而舍之者，不耘苗者也；助之长者，揠苗者也，非徒无益，而又害之。”

“何谓知言？”

曰：“诐辞⑧知其所蔽，淫辞⑨知其所陷，邪辞知其所离，遁辞⑩知其所穷。生于其心，害于其政；发于其政，害于其事。圣人复起，必从吾言矣。”

【注释】

①敢问夫子恶乎长：这一段为公孙丑与孟子对话的节选。问这句话的人为公孙丑。

②浩然：盛大而流动的样子。

③慊（qiè）：快，痛快。

④正：止。“而勿正”即“而勿止”。

⑤闵：担心，忧愁。

⑥揠：拔。

⑦芒芒然：神情疲倦的样子。

⑧诐（bì）辞：偏颇的言辞。

⑨淫辞：夸张、夸大的话语。

⑩遁辞：躲闪的言辞。

【译文】

公孙丑说：“请问先生的长处是什么？”

孟子（回答）说：“我懂得辨析别人的言辞，我善于培养自己的浩然之气。”

公孙丑说：“请问何为浩然之气呢？”

孟子说：“一时间难以讲清楚啊。这种气，最强大，最刚健，用正直去培养它而不加以伤害，便能充溢于天地之间。不过，作为一种气，一定要合乎道义，不然就会缺少力量而变得薄弱。它是从日积月累的正义中生长出来的，而不是偶然之间从外界获得的。如果所作所为有一件是不能让人感到满意的，这股气就会变弱。因此我说，告子不懂得义，那是因为他把义当成了一种外在的东西。浩然之气的形成，（要求）必须要有所作为而不能中止，心中不能将它忘记，但是也不要故意地帮助它。不要像那个宋国人一样。宋国有一个人担心禾苗长不快，于是每天将它拔高，拖着疲惫的身体回去，告诉他的家人说：‘今天累坏了，我去帮助禾苗长高了。’他的儿子跑到田里一看，禾苗全都枯萎了。天下不拔苗助长的人其实并不多。说到浩然之气，认为培养（这种气）对自己并没有好处而放弃的，是不为禾苗除草的人；故意去帮助它生长的，则是拔苗助长的人。这样做不仅无益，而且有害。”

公孙丑又问：“怎样才算是‘懂得辨析言辞’？”

孟子说：“对于那些带有偏见的言辞，知道它因为哪一方面被遮蔽而不明事理；对于过分的言辞，知道它在哪一方面过于较真而不能自拔；对于邪僻的言辞，知道它违背了什么道理而乖张不正；对于敷衍的言辞，知道它在哪里理亏而词穷。言辞的过错主要是由于思想认识的狭隘而产生，危害于政治；把它体现于政令措施，就会危害到具体的工作。如果圣贤复生，也一定会对我的话表示赞同。”

【解析】

在这里，孟子与公孙丑讨论了两个问题，一个是何为浩然之气，一个是何为懂得辨析言辞。

浩然之气，并不是所谓“精气”“血气”，而是充满了正义、仁义的侠骨之气。这并不是医学生理的范围，而是隶属人文的精神范畴。

这种气可养而不可得，乃是日积月累、水到渠成之事，强求不得。古往今来，能够不急功近利的人少之又少。在巨大的诱惑面前，所有人都会忍不住想要一口吃成个胖子，结果事情往往适得其反。其实，不管是积累知识、学习技能还是修身养性，都不可太过急功近利。

之后，孟子又介绍了辨析言辞的妙处，旨在说明，人们不可以一面之词盖过百家之言。

三

【原文】

孟子曰："以力假[①]仁者霸，霸必有大国；以德行仁者王，王不待[②]大。汤以七十里，文王以百里[③]。以力服人者，非心服也，力不赡[④]也；以德服人者，中心悦而诚服也，如七十子之服孔子也。《诗》云：'自西自东，自南自北，无思[⑤]不服。'此之谓也。"

【注释】

①假：借，凭借。

②待：等待，引申为依靠。

③汤以七十里，文王以百里：这两句均承上省略了主要动词"王"。

④赡：充足。

⑤思：助词，无实义。

【译文】

孟子说："仰仗着实力然后假借仁义的名义去征伐可以称霸诸侯，称霸要凭借强大的国力来完成；依靠着道德来施行仁义能够让天下归服，这样做不需要强大的国家作为基础。商汤凭借着仅仅方圆七十里的土地便可以称王，文王凭借着仅仅百里的土地便可以称王。仰仗着实力来让人归顺的，百姓不会心悦诚服，只是因为自身的实力不够而暂时屈居人下；靠着道德来让人归顺，百姓才会真正心悦诚服，就如同七十多位弟子推崇信服孔子一样。《诗经》中曾说：‘从东到西，从南至北，没有不心悦诚服的。’就是这个意思。”

【解析】

这里讲述了“王道”与“霸道”的区别。所谓“霸道”，便是以力服人，其实被征服的人内心未必心悦诚服，这种方法也是孟子所反对的；所谓“王道”，则是以德服人，这样来归顺的人才真正心悦诚服，这也是孟子反复向君主们极力推荐的。

四

【原文】

孟子曰：“仁则荣，不仁则辱。今恶辱而居不仁，是犹恶湿而居下也。如恶之，莫如贵德而尊士，贤者在位，能者在职。国家闲暇，及是时，明其政刑。虽大国，必畏之矣。《诗》云：‘迨[①]天之未阴雨，彻彼桑土[②]，绸缪牖户[③]。今此下民，或敢侮予？’孔子曰：‘为此诗者，其知道乎！能治其国家，谁敢侮之，’今国家闲暇，及是时，般乐怠敖[④]，是自求祸也。祸福无不自己求之者。《诗》云：‘永言配命[⑤]，自求多福。’《太甲》[⑥]曰：‘天作孽，犹可违[⑦]；自作孽，不可活[⑧]。’此之谓也。”

【注释】

①迨（dài）：趁着。

②彻：剥取。桑土（dù）：桑树的根。土：同“杜”，东齐方言称根为杜。

③绸缪（móu）：缠结。牖（yǒu）：窗子。户：门。

④般（pán）：乐。怠：怠情。敖：同“遨”，指出游。

⑤永：长久。言：语助词，无义。配：合。命：天命。

⑥《太甲》：《尚书》中的一篇。

⑦违：避。

⑧活："逭"（huàn）的借字，"逃"的意思。

【译文】

孟子说："（诸侯卿相）如果实行仁政就能得到荣耀，如果不行仁政便会受到羞辱。现在的人既厌恶羞辱，却又不仁，这就如同讨厌潮湿却又待在低洼的地方一样。如果真的厌恶羞辱，那么不如敬奉德行，尊敬士人，让有贤德的人管理国家，让能干的人担任一定的官职。在国家没有内忧外患的时候，修明法律。这样做，即便是大国，也会对你有所敬畏。《诗经》说：'趁着天晴还没有下雨，把桑树根上的皮剥去，修理好门和窗户。现在这些下面的人，谁还敢来欺负我？'孔子说：'写这首诗的人很懂道理啊。能够治理好自己的国家，谁又敢来欺侮他呢？'现在国家没有内忧外患，却趁着如此好的时机享乐懈怠，这是自己在招致祸患啊。祸害和幸福没有不是自己招来的。《诗经》说：'行事一直符合天命，自己可以寻求更多的幸福。'《尚书·太甲》说：'上天降下的灾害还可能躲开，自己招致的祸患却无处遁形。'说的就是这样的情况。"

【解析】

这段话的意思很简单，要免除国家内忧外患的情况，只有在平时尊贤使能，奉行仁道。特别是，在百姓安居乐业的时候，要善于防患于未然，不能借此享乐，否则必然会招致祸患。

卷四　公孙丑下

一

【原文】

孟子曰："天时不如地利，地利不如人和[①]。三里之城，七里之郭[②]，环而攻之而不胜。夫环而攻之，必有得天时者矣；然而不胜者，是天时不如地利也。城非不高也，池[③]非不深也，兵革[④]非不坚利也，米粟非不多也；委[⑤]而去之，是地利不如人和也。故曰：域民不以封疆之界，固国不以山溪之险，威天下不以兵革之利。得道者多助，失道者寡助。寡助之至，亲戚畔[⑥]之；多助之至，天下顺之。以天下之所顺，攻亲戚之所畔；故君子有[⑦]不战，战必胜矣。"

【注释】

①天时：作战的吉时。地利：地理优势。人和：人心所向，内部团结等。

②三里之城，七里之郭：内城叫"城"，外城叫"郭"。古时内外城的比例通常为三里之城，七里之郭。

③池：即护城河。

④兵：武器，指戈、矛、刀箭等攻击性武器。革：皮革，指甲胄。

⑤委：弃。

⑥畔：通"叛"，背叛。

⑦有：或，要么。

【译文】

孟子说：“有作战的吉时，不如有作战的地理优势；有着作战的地理优势，不如人民齐心协力。譬如只有三里的内城，七里的外城，把这个小城包围住来攻打，却不能攻破。在包围攻打的时候，遇到好时机或者好天气，仍然不能获胜，说明有利的天气不如有利的地势。（另一种情况是）城墙不是不高，护城河也不是不深，兵器与盔甲也不是不尖利和牢固，粮草也不是不充足，但是到了最后还是弃城而逃，这说明有利的地势不如团结的人心。因此说，限制人民不是靠封锁边境线来实现的，固守国家不是靠山川的险阻，威震天下不是靠兵甲的尖利来做到的。能施行正道的国君，就会有很多人来帮助他；不施行正道的国君，来帮助他的人就很少。当帮助他的人少到极点的时候，连亲戚都会背叛他；当帮助他的人多到极点的时候，全天下的人都会顺从他。拿天下都顺从的力量去攻打连亲戚都背叛的力量，出来的结果必定是不交战则已，如果交战必定取得胜利。”

【解析】

天、地、人三者的关系历来是人们十分关心的话题。关于三者谁最重要也是人们探讨的重点。孟子在这里主要就军事方面来解析天时、地利、人和之间的关系，而且观点颇为鲜明，认为在战争时“天时不如地利，地利不如人和”。在他看来，“人和”是其中最重要的，起到决定性作用的因素。孟子之所以强调“人和”最为重要，无非是因为他要谈论仁政，告诉执政者“得道者多助，失道者寡助”。

二

【原文】

孟子将朝王[①]，王使人来曰："寡人如[②]就见者也，有寒疾，不可以风。朝，将视朝[③]，不识[④]可使寡人得见乎？"

对曰："不幸而有疾，不能造[⑤]朝。"

明日，出吊于东郭氏。公孙丑曰："昔者辞以病，今日吊，或者不可乎？"

曰："昔者疾，今日愈，如之何不吊？"

王使人问疾，医来。

孟仲子对曰："昔者有王命，有采薪之忧[⑥]，不能造朝。今病小愈，趋造于朝，我不识能至否乎？"

使数人要[⑦]于路，曰："请必无归，而造于朝！"

不得已而之景丑氏宿焉。

景子曰："内则父子，外则君臣，人之大伦也。父子主恩，君臣主敬。丑见王之敬子也，未见所以敬王也。"

曰："恶！是何言也！齐人无以仁义与王言者，岂以仁义为不美也？其心曰，'是何足与言仁义也'云尔，则不敬莫大乎是。我非尧、舜之道，不敢以陈于王前，故齐人莫如我敬王也。"

景子曰："否，非此之谓也。礼曰：'父召，无诺[⑧]；君命召，不俟驾。'固将朝也，闻王命而遂不果，宜[⑨]与夫礼若不相似然。"

曰："岂谓是与？曾子曰：'晋、楚之富，不可及也。彼以其富，我以吾仁；彼以其爵，我以吾义。吾何慊乎哉？'夫岂不义而曾子言之？是或一道也。天下有达尊三：爵一，齿一，德一。朝廷莫如爵，乡党莫如齿，辅世长民莫如德。恶得有其一以慢其二哉？故将大有为之君，必有所不召之臣，欲有谋焉，则就之。其尊德乐道，不如是，不足与有为也。故汤之于伊尹，学焉而后臣之，故不劳而王；桓公之于管仲，学焉而后臣之，故不劳而霸。今天下地丑[10]德齐，莫能相尚，无他，好臣其所教，而不好臣其所受教。汤之于伊尹，桓公之于管仲，则不敢召。管仲且犹不可召，而况不为管仲者乎？”

【注释】

①王：指齐王。

②如：应当，宜。

③朝，将视朝：第一个“朝”是“清晨”的意思，第二个“朝”是“朝廷”的意思，视朝即在朝廷处理政务。

④不识：不知。

⑤造：到，上。

⑥采薪之忧：本意为有病不能去打柴，引申义为生病的代辞。

⑦要：拦截。

⑧父召，无诺：《礼记·曲礼》：“父召无诺，先生召无诺，唯而起。”“唯”和“诺”都表示应答，急时用“唯”，缓时用“诺”。

⑨宜：义同“殆”，大概，恐怕。

⑩丑：类似，相近，同。

【译文】

孟子正准备去朝见齐王，恰巧齐王派人来转达说：“我本想来见您，但是感染了风寒，不能吹风。您如果要来朝见，我明天早上会临时上朝处理政务，不知您能否来朝廷让我见一面？”

孟子回答说：“我不幸也患了病，不能到朝廷去。”

第二天，孟子要到东郭家吊丧。公孙丑说：“昨天您托病谢绝了齐王的召见，今天便来到东郭家吊丧，这样做影响不太好吧？”

孟子说：“昨天生病，今天痊愈了，为什么不能去吊丧呢？”

齐王派人来问病，还带了医生一起前来。

孟仲子应付说：“昨天大王派人来下达命令的时候，他正病着，确实不能去上朝，今天病刚好了一些，已经去上朝了，但我不知道他有没有到。”

孟仲子又马上派人到路上将孟子拦住，转告他说：“请您无论如何不要回家，赶快上朝去！”

孟子不得已到景丑家里借宿。

景丑说：“在家有父子，在外有君臣，这是人与人之间最重要的伦理关系。父子之间以慈恩为主，君臣之间以恭敬为主。我只看到齐王对您十分尊敬，却没有看到您尊敬齐王。”

孟子说：“嗬！这是什么话！齐国没有拿仁义来与齐王讨论的人，难道是他们觉得仁义不好吗？不是。他们想的是：这样的王哪里配得上与自己讨论仁义呢？如此一来，他们才是对齐王最大的不恭敬。至于我，不是尧舜的道理不敢在王面前陈述。因此，在齐国没有比我更尊敬王的。”

景丑说：“不，我说的不是这个。《礼经》上说过，父亲召唤，答‘唯’不答‘诺’；君王召唤，不等车马备齐就起身出发。可您呢？您本来要去朝见，听到齐王的召唤反而不去了，这似乎和礼的规范有所违背吧。”

孟子说：“原来说的是这个呀！曾子说过：‘晋国与

楚国的财富，我是无法与之相比的。但是他有他的财富，我有我的仁；他倚仗他的爵位，我倚仗我的义。我何必要自认为不如他的呢？’没有道理的话曾子会说吗？这话一定有他的道理。世界上有三样东西最为宝贵：爵位是一个，年龄是一个，德行是一个。在朝廷上必先要论爵位；在乡里要先论年龄；至于辅助君王来治理天下，最先论的则是德行。怎么可以占了其中之一来怠慢其他两个呢？因此，想要有所作为的君主，一定有他不能召唤的大臣，如果他有什么事情需要出谋划策，就应该主动到大臣家去，这才叫真正的尊重道德，喜爱道义。如果到不了这种程度，就不能与他一起大有作为。因此，商汤对待伊尹，先是向伊尹学习，然后才当他是臣子，因此没有太过操劳便统一了天下；齐桓公对于管仲，也是先向他学习，然后才将他当成臣子，因此才没有太过操劳便在诸侯中称霸。现在，天下各国的土地都相差不大，君主的德行也不相上下，彼此之间没有人能够拔得头筹。原因无他，主要是君主都喜欢以听从他的话的人为臣，却不喜欢以能够教导他的人为臣。商汤对于伊尹，齐桓公对于管仲，就不敢召唤。管仲都不可以被召唤，更何况是连管仲都不屑于当的人呢？”

【解析】

从这部分内容来看，孟子自恃清高。他不愿意被齐王所左右，自己主动去朝见是一回事，被召唤则是另外一件事。因此他才会托病不去上朝，这也是孟子周游列国没有被重用的一部分原因吧。

抛开清高这方面不说，从对用人这一方面的要求来看，孟子在此处明确地表明，当政的君王要“尊贤使能”“尊德乐道”，礼贤下士，主动放下自己尊贵的架子而起用贤才，甚至向贤才学习。其实，这也是儒家在用人方面的基本观点，孔子与孟子一生都在宣传这种观点，虽然他们生前并没有享受过这样的待遇，但是他们的主张对后世产生了深远的影响。刘备三顾茅庐便是其中最典型的例子。

当然，这种例子并不能证明后世都在遵从孔孟之道，但是至少说明在对待人才方面，这种礼仪是最理想化的。

另外，在用人与被用的方面，当政者多半“好臣其所教，而不好臣其所受教”。因此作为一个有才德的人，展现一下自己的清高与骨气，也是理所应当的。

三

【原文】

陈臻①问曰：“前日于齐，王馈兼金②一百③而不受；于宋，馈七十镒而受；于薛④，馈五十镒而受。前日之不受是，则今日之受非也；今日之受是，则前日之不受非也。夫子必居一于此矣。”

孟子曰：“皆是也。当在宋也，予将有远行，行者必以赆⑤；辞曰：‘馈赆。’予何为不受？当在薛也，予有戒心；辞曰：‘闻戒，故为兵馈之。’予何为不受？若于齐，则未有处也。无处而馈之，是货⑥之也。焉有君子而可以货取乎？”

【注释】

①陈臻：孟子的弟子。

②兼金：好金。价格相当于普通金子的两倍，因此被称为“兼金”。

③一百：即一百镒（yì）。镒：古代重量单位，一镒为二十两。

④薛：齐国靖郭君田婴的封地，在今山东滕州东南。

⑤赆（jìn）：给远行的人送去礼物或者路费。

⑥货：动词，收买，贿赂。

【译文】

陈臻问（孟子）说："前段时间在齐国，齐王送了一百镒上等金让您给拒绝了；在宋国，宋国国君送了七十镒您却接受了；在薛地，田婴馈赠您五十镒您也接受了。如果前段时间的不接受是正确的，那么现在的接受就是不正确的；如果现在的接受是正确的，那么前段时间的不接受便是错误的了。先生在这两者中必居其一。"

孟子说："接不接受都是正确的。在宋国的时候，我准备远行，对于出行的人来说当然要送一些盘缠，宋国国君说要赠送我一些盘缠，我为什么要拒绝呢？在薛地，我听说路上有危险，需要戒备，因此田婴说：'听说您需要戒备，送点钱给您买兵器吧。'我为什么要拒绝呢？至于齐国，就毫无理由。毫无理由地馈赠金钱就是在收买，哪有君子可以被收买的呢？"

【解析】

从这段对话不难看出，孟子认为接不接受礼物，要看对方有没有给出合情合理的理由。即便馈赠的礼物再多，如果不合乎情理，便不能接受。如果这个理由合乎情理，那么即便馈赠的礼物再菲薄，也应该接受。如果毫无理由地赠送金钱和礼物，便是在收买。君子是不能用金钱来收买的。

四

【原文】

孟子致为臣而归[①]。王就见孟子，曰："前日愿见而不可得，得侍同朝，甚喜。今又弃寡人而归，不识可以继此而得见乎？"

对曰："不敢请耳，固所愿也。"

他日，王谓时子[②]曰："我欲中国[③]而授孟子室，养弟子以万钟[④]，使诸大夫国人皆有所矜式[⑤]。子盍为我言之！"

时子因陈子而以告孟子，陈子以时子之言告孟子。

孟子曰："然。夫时子恶知其不可也？如使予欲富，辞十万而受万，是为欲富乎？季孙[⑥]曰：'异哉子叔疑[⑦]！使己为政，不用，则亦已矣，又使其子弟为卿。人亦孰不欲富贵？而独于富贵之中有私龙断[⑧]焉。'古之为市也，以其所有易其所无者，有司者治之耳。有贱丈夫[⑨]焉，必求龙断而登之，以左右望而罔市利。人皆以为贱，故从而征之。征商自此贱丈夫始矣。"

【注释】

①致为臣而归：指孟子辞去齐宣王的客卿身份归乡。"致"是"归还"的意思。

②时子：齐王的臣子。

③中国：在国都中，指临淄城。"中"为介词，"国"为国都。

④万钟：钟，古代量器。齐国量器有豆、区、釜、钟四种。每豆四升，每区四斗，每釜四区，每钟十釜。万钟为六万四千石。

⑤矜式：敬重，效法。

⑥季孙：赵岐注认为是孟子的弟子，朱熹则认为“不知何时人”。

⑦子叔疑：人名，与季孙一样不可考。

⑧龙断：即“垄断”。原为名词，指高而不相连属的土墩子，后逐渐引申为把持、独占。

⑨丈夫：成年男子的通用称呼。

【译文】

孟子辞去了官职准备归乡。齐宣王专程来看他，说：“之前认为见到您几乎是不可能的事情，后来终于在一起共事了，我感到很高兴。（没想到）现在您又要弃我而去了，不知道我们以后还能不能相见？”

孟子回答说：“我不敢有所奢求，这本来便是我的愿望。”

没过几天，齐王对臣子时子说：“我想要在都城中分一座房子给孟子，再用万钟的粮食来供养他的学生，让我们的官员与人民都有所效。你何不替我和孟子谈谈这件事！”

时子随即便让陈臻将这些话转达给孟子，陈臻把时子的话转告了孟子。

孟子说：“嗯，那时臻怎么知道这件事做不得呢？如果我是贪图财富的人，辞去十万钟俸禄的官不做却去接受一万钟的赏赐，这样做的目的是想要更富有吗？季孙曾经说过：‘子叔疑真奇怪，自己想要当官，不被人重用，也就算了，却非要自己的子弟去当卿大夫。谁不想当官发财呢？但是他想要在当官发财中搞垄断。’这就像是古时的市场交易，本来用有来交换无，还有专门的机构进行管理。但是有一个卑鄙的人，非要找一个独立的高地登上去，左右张望，恨不得将全市场能赚钱的买卖都揽过去。别人觉得这人太过卑鄙，向他讨要税款。征收商业税便是从这个卑鄙的人开始的。”

【解析】

在齐宣王那里得到不错的礼遇的孟子，因为齐宣王始终不愿意推行仁政而辞职归乡。

当齐宣王通过臣子转达想要留住孟子的意向时，孟子明确地表明自己做官并不是为了谋求个人的财富，而是为了实现政治抱负，拯救黎民百姓。接着孟子便说了一大串寓言来指出官场与商场的人都想要通过垄断来谋求利益。

孟子指出像子叔疑这样的人，自己做官还不算，还要让自己的子弟都去做官。不过，值得注意的是，当时的世袭制度也是一种垄断制度。因此，孟子提出的官场垄断是深刻且意义深远的。

此外，孟子提出的市场垄断现象也是超前的。他在两千多年就看到了垄断的本质，其超前的思维让人佩服。

卷五　滕文公上

一

【原文】

滕文公为世子①，将之楚，过宋而见孟子。孟子道性善，言必称尧、舜。

世子自楚反，复见孟子。孟子曰："世子疑吾言乎？夫道一而已矣。成覸②谓齐景公曰：'彼，丈夫也；我，丈夫也；吾何畏彼哉？'颜渊曰：'舜，何人也？予，何人也？有为者亦若是。'公明仪③曰：'文王，我师也；周公岂欺我哉？'今滕，绝长补短，将五十里也，犹可以为善国。《书》曰：'若药不瞑眩④，厥疾不瘳⑤。'"

【注释】

①世子：即太子。"世"和"太"古音相同，古书常通用。

②成覸：齐国的勇士。

③公明仪：人名，复姓公明，名仪，鲁国贤人，曾子的学生。

④瞑（míng）眩（xuàn）：眼睛昏花看不太清楚。

⑤瘳（chōu）：病愈。

【译文】

滕文公在还是太子的时候奉命出访楚国，中途经过的时候去拜见了孟子。孟子讲了性本善的道理，话语中离不开尧、舜。

世子从楚国回来之后，又去拜见了孟子。孟子说："世子是对我的话有所怀疑吗？世间的真理只有一个罢了。成覸曾对齐景公说：'他是一个男子汉，我也是一个男子汉，我为什么要惧怕他呢？'颜渊说：'舜是什么样的人，我也是什么样的人，有所作为的人应该像他一样。'公明仪说：'文王是我的榜样，周公难道会骗我吗？'现在的滕国，长短折算下来差不多有方圆五十里，还能够治理成个好国家。《尚书》中说：'如果药不让人感到眩晕，那么病是无法痊愈的。'"

【解析】

在这里，孟子向滕世子讲述了自己的主张。滕世子并没有完全领会其中的深意，因此再次向孟子求教。

孟子告诉他，从古至今，不管是圣贤还是百姓，本性都是善的，圣贤能够做到的，普通人通过努力也可以做到。这里最值得注意的是，孟子"性本善"的主张，是他自己明确提出来的。

二

【原文】

滕定公①薨，世子谓然友②曰："昔者孟子尝与我言于宋，于心终不忘。今也不幸至于大故③，吾欲使子问于孟子，然后行事。"

然友之④邹，问于孟子。

孟子曰："不亦善乎！亲丧，固所自尽⑤也。曾子曰⑥：'生，事之以礼；死，葬之以礼，祭之以礼，可谓孝矣。'诸侯之礼，吾未之学也。虽然，吾尝闻之矣。三年之丧⑦，齐疏之服⑧，饘粥⑨之食，自天子达于庶人，三代共之。”

然友反命，定为三年之丧。父兄百官皆不欲，曰：“吾宗国⑩鲁先君莫之行，吾先君亦莫之行也，至于子之身而反之，不可。且《志》曰：‘丧祭从先祖。’曰：‘吾有所受之也。’”

谓然友曰：“吾他日未尝学问，好驰马试剑。今也父兄百官不我足也，恐其不能尽于大事，子为我问孟子。”然友复之邹问孟子。

孟子曰：“然。不可以他求者也。孔子曰：‘君薨，听于冢宰⑪。歠⑫粥，面深墨，即位而哭，百官有司莫敢不哀，先之也。’上有好者，下必有甚焉者矣。君子之德，风也；小人之德，草也。草尚之风，必偃⑬。是在世子。”

然友反命。世子曰：“然。是诚在我。”

五月居庐，未有命戒。百官族人可，谓曰知。及至葬，四方来观之，颜色之戚，哭泣之哀，吊者大悦。

【注释】

①滕定公：滕文公之父。

②然友：人名，太子的老师。

③大故：重大的事故，这里指父丧。

④之：至，到。邹与滕相距不过四十多里，所以可以问后行事。

⑤自尽：竭尽自己的心力。

⑥曾子曰：这几句话在《论语·为政》中是孔子对樊迟所说。

⑦三年之丧：古时规定，子女要为父母、臣子要为君王守孝三年。

⑧齐疏之服：用粗布制成的缝边的丧服。齐：指衣服缝边。古代丧服叫作衰，不缝衣边的叫“斩衰”，缝衣边的叫“齐衰”。

⑨饘（zhān）：黏稠的粥。粥：稀粥，这里为偏义复词，指稀粥。

⑩宗国：鲁、滕诸国的始封祖均为周文王之子，而周公封鲁，于行辈较长，所以其余姬姓诸国均以鲁为宗国。

⑪冢宰：官名，在君王居丧期间代理朝政。

⑫歠（chuò）：饮。

⑬"君子之德……必偃"：这几句出自《论语·颜渊》。尚：与"上"同。偃：倒下。

【译文】

滕定公去世了，太子对然友说："此前，孟子曾经在宋国与我交谈，我心中一直谨记着他的话语。如今不幸得很，父亲突然过世，我想请你帮忙问问孟子（的意见），然后再办理丧事。"

然友赶到了邹国，去询问孟子。

孟子说："不错啊。父亲的丧事本来就应该尽心尽力。曾子曾经说过：'父母生前，要按照礼节来服侍他们；父母死后，要按照礼节来埋葬他们，按照礼节来祭祀他们，如此才能称得上是尽孝。'诸侯的礼，我没有学习过；虽然没有学习过，但我还是听说过的。守孝三年，穿粗布缝制的丧服，喝着稀粥，不管是天子还是平民，夏、商、周三代均是如此。"

然友（听完之后）回去复命，太子决定在全国行守孝三年的丧礼。官员与百姓均不愿意，说："我们的宗主国每一位君王都没有这样做，我国每代的君王也没有这么做，到了您这里开始违反规矩，是不行的。况且《志》上说：'丧礼、祭祀的礼仪应该遵循祖宗的先例。'道理就在于我们是从这一传统继承下来的。"

太子对然友说："我之前没有研究过学问，喜欢骑马舞剑。如今官员与百姓都对我不满，担心我办不好父皇的丧事。劳烦先生再去帮我问问孟子吧！"

然友于是又赶到邹国询问孟子。

孟子说："是啊，但是这种事是求不得别人的。孔子曾经说过：'君主死了，政务要听命于冢宰，太子只得喝粥，面色深黑，在继承孝子之位的时候便开始哭，相信大官小吏均会有所动容，这便是因为太子带了头。'上面喜欢什么，下面必然会喜欢得更加厉害。尊贵的人的德行就像风一样，卑微的人的德行就像草一样。草上有风吹过，一定会随风而摇摆。这件事全看太子如何做。"

然友听完之后，就将孟子的话禀告了太子。太子说："不错，这件事确实全看我自己怎么做。"

太子在丧庐住了五个月，没有颁布任何政令。百官与族人（对太子的做法）均十分赞许，说太子开始懂礼了。到了举办丧礼的时候，四方的宾客都过来观礼。太子面色哀戚、悲哀哭泣，让吊丧的人十分动容。

【解析】

上行下效一直是孔子反复强调的一个话题，孟子也传承了孔子的思想。孟子在文章中对然友所说的"君子之德，风也；小人之德，草也。草尚之风，必偃"，正是孔子在《论语·颜渊》中所说的"君子之德风，小人之德草，草上之风，必偃"的翻版。

由此可以看出，孔孟二人均十分重视政治领导人的原则。本章揭示的便是上行下效的道理。

三

【原文】

有为神农之言者许行，自楚之滕，踵[①]门而告文公曰："远方之人闻君行仁政，愿受一廛而为氓[②]。"

文公与之处。

其徒数十人，皆衣褐，捆屦，织席以为食。

陈良之徒陈相与其弟辛负耒耜而自宋之滕，曰："闻君行圣人之政，是亦圣人也，愿为圣人氓。"

陈相见许行而大悦，尽弃其学而学焉。

陈相见孟子，道许行之言曰："滕君则诚贤君也。虽然，未闻道也。贤者与民并耕而食，饔飧[③]而治。今也滕有仓廪府库，则是厉民而以自养也，恶得贤？"

孟子曰："许子必种粟而后食乎？"

曰："然。"

"许子必织布而后衣乎？"

曰："否。许子衣褐。"

"许子冠乎？"

曰："冠。"

曰："奚冠？"

曰："冠素。"

曰："自织之与？"

曰："否。以粟易之。"

曰："许子奚为不自织？"

曰："害于耕。"

曰："许子以釜甑爨[④]，以铁耕乎？"

曰："然。"

"自为之与？"

曰："否。以粟易之。"

"以粟易械器者，不为厉陶冶；陶冶亦以其械器易粟者，岂为厉农夫哉？且许子何不为陶冶，舍皆取诸其宫中而用之？何为纷纷然与百工交易？何许子之不惮烦？"

曰："百工之事固不可耕且为也。"

"然则治天下独可耕且为与？有大人之事，有小人之事。且一人之身，而百工之所为备，如必自为而后用之，是率天下而路也。故曰或劳心，或劳力；劳心者治人，劳力者治于人；治于人者食人，治人者食于人，天下之通义也。

"当尧之时，天下犹未平，洪水横流，泛滥于天下，草木畅茂，禽兽繁殖，五谷不登，禽兽偪人，兽蹄鸟迹之道交于中国。尧独忧之，举舜而敷⑤治焉。舜使益掌火，益烈山泽而焚之，禽兽逃匿。禹疏九河，瀹济、漯⑥而注诸海，决汝、汉，排淮、泗而注之江，然后中国可得而食也。当是时也，禹八年于外，三过其门而不入，虽欲耕，得乎？

"后稷教民稼穑，树艺五谷。五谷熟而民人育。人之有道也，饱食、暖衣、逸居而无教，则近于禽兽。圣人有忧之，使契为司徒，教以人伦：父子有亲，君臣有义，夫妇有别，长幼有叙，朋友有信。放勋曰：'劳之来之，匡之直之，辅之翼之，使自得之，又从而振德之。'圣人之忧民如此，而暇耕乎？

"尧以不得舜为己忧，舜以不得禹、皋陶⑦为己忧。夫以百亩之不易⑧为己忧者，农夫也。分人以财谓之惠，教人以善谓之忠，为天下得人者谓之仁。是故以天下与人易，为天下得人难。孔子曰：‘大哉尧之为君！惟天为大，惟尧则之，荡荡乎民无能名焉！君哉舜也！巍巍乎有天下而不与焉！’尧、舜之治天下，岂无所用其心哉？亦不用于耕耳。

“吾闻用夏变夷者，未闻变于夷者也。陈良，楚产也，悦周公、仲尼之道，北学于中国。北方之学者，未能或之先也。彼所谓豪杰之士也。子之兄弟事之数十年，师死而遂倍之！昔者孔子没，三年之外，门人治任将归，入揖于子贡，相向而哭，皆失声，然后归。子贡反，筑室于场，独居三年，然后归。他日，子夏、子张、子游以有若似圣人，欲以所事孔子事之，强曾子。曾子曰：‘不可，江汉以濯之，秋阳以暴[9]之，皜皜[10]乎不可尚已。’今也南蛮鴃[11]舌之人，非先王之道，子倍子之师而学之，亦异于曾子矣。吾闻出于幽谷迁于乔木者，未闻下乔木而入于幽谷者。《鲁颂》曰：‘戎狄是膺，荆舒是惩。’周公方且膺之，子是之学，亦为不善变矣。”

“从许子之道，则市贾不贰，国中无伪。虽使五尺之童适市，莫之或欺。布帛长短同，则贾相若；麻缕丝絮轻重同，则贾相若；五谷多寡同，则贾相若；屦大小同，则贾相若。”

曰：“夫物之不齐，物之情也；或相倍蓰[12]，或相什百，或相千万。子比而同之，是乱天下也。巨屦小屦[13]同贾，人岂为之哉？从许子之道，相率而为伪者也，恶能治国家？”

【注释】

①踵（zhǒng）：至，到。

②廛（chán）：住房。氓：移民。

③饔（yōng）：早餐。飧（sūn）：晚饭。

④爨（cuàn）：烧火做饭。

⑤敷：遍。

⑥瀹（yuè）：疏导。济、漯：济水与漯水。

⑦皋（gāo）陶：人名，相传是虞舜时的司法官。

⑧易：治。

⑨秋阳以暴：秋阳：周朝历法上七八月相当于夏历五六月，因此这里所说的秋阳实际上乃是现在的夏阳。暴：同“曝”，晒。

⑩皜皜（hào）：光洁的样子。

⑪鴃（jué）：伯劳鸟。

⑫倍蓰（xǐ）：倍：一倍；蓰：五倍。后文的什、百、千、万都是指倍数。

⑬巨屦小屦：粗糙的草鞋与精致的草鞋。

【译文】

有一奉行神农氏学说的名叫许行的人，从楚国来到滕国谒见滕文公说：“我从远方赶来，听说您在施行仁政，希望能在滕国得到一处住所，成为您的百姓。”

滕文公于是就给了他一处住所。

许行的门徒有数十人，全都穿着粗麻做的衣服，靠给人做草鞋织席子为生。

陈良的门徒陈相与他的弟弟陈辛带着农具从宋国来到了滕国，也谒见滕文公说：“听闻您在施行圣人的仁政，如此，您便也是圣人了，我们都想要当圣人的百姓。”

陈相见到许行后十分开心，将自己以前所学的都抛弃了，改学许行的学说。

有一天，陈相去拜见了孟子，并向他转达许行的话说："滕国的君主确实是一名贤明的君主，但是他并没有掌握真正的治国之道。贤人与黎民百姓一同耕作，然后再吃饭，一同亲手做饭。如今滕国有了储存粮食的仓库，放置财物的仓库，这分明是损害百姓的利益来奉养自己，如何能称得上贤明呢？"

孟子说："许先生必须要自己种粮食才吃饭吗？"

陈相回答说："是的。"

"许先生一定自己织布，然后才穿衣吗？"

回答说："不是的，许先生只穿粗麻衣服。"

"那么许先生戴帽子吗？"

回答说："戴的。"

孟子问："戴什么样的帽子呢？"

回答说："戴白帽子。"

孟子问："是他自己织的吗？"

回答说："不是的。那是用粮食换来的。"

孟子问："为什么这个许先生不自己来织了呢？"

回答说："因为怕耽误了农活。"

孟子问："许先生做饭的时候使用锅和甑吗？耕种的时候使用铁器吗？"

回答说："是的。"

"那些都是他自己做的吗？"

回答说："不是的。是用粮食换来的。"

孟子于是就说："农夫用粮食来换取锅和农具，不能说是损害了瓦匠铁匠（的利益）。那么，瓦匠铁匠用锅和农具来换取粮食，难道就损害农民的利益了吗？而且，为什么许先生自己不烧窑冶铁做成锅、甑和各种农具，所有的东西都从自己家里取用呢？为什么要一件一件地去与各种工匠交换呢？难道许先生不怕麻烦吗？”

陈相回答说：“各种工匠做的事情当然不是一边耕田一边做得了的。”

“那么治理国家的人为什么偏偏要被要求一边耕种一边去治理国家呢？官员有官员要做的事情，百姓有百姓要做的事情。况且，每个人所需要的生活都需要各种东西才能填充完整，如果全都要自己亲自去做，那么全天下的人都会疲于奔命。因此说，有的人在做脑力劳动，有的人在做体力劳动；脑力劳动的人统治人，体力劳动的人被人统治；被统治的人养活其他人，统治者则靠别人来养活，这是放诸四海而皆准的法则。

“在尧生存的那个年代，天下还没有太平，洪涝成灾，四处泛滥；草木毫无限制地生长，禽兽大量地繁衍，田地没有收成，飞禽走兽祸害人类，随处都能看到它们的踪影。尧为此十分担心，于是将舜选拔出来进行全面整顿。舜派伯益来掌管火政，益就用烈火将山野沼泽中的杂草乱木焚烧殆尽，飞禽走兽只能四处逃散。大禹疏通了九条河道，对济水、漯水进行了治理，引流入海；挖掘汝水、汉水，疏通了淮水、泗水，引流入长江。这样之后，中国才能进行农业耕种。当时，禹在外八年，三次路过自己的家门均没有进去，这时候如果他想亲自种地，行吗？

“后稷教百姓如何耕种，培育五谷，等到五谷成熟了才能够养活百姓。人之所以能够成为人，吃饱穿暖，住舒服了，如果没有教养，那么和禽兽也没有什么差别。圣人常为此而忧愁，派契去做司徒，教导百姓以伦理道德——父子之间应该有骨肉之亲，君臣之间应该有礼义之道，夫妻之间有内外之别，老少之间应该尊卑有序，朋友之间应该有诚信之德。尧说过：‘对他们进行慰劳，对他们进行安抚，对他们进行开导，对他们进行纠正，对他们进行辅佐，对他们进行保护，让他们能够自给自足，进一步提高他们的德行。’圣人全都为百姓考虑好了，难道还有时间亲自去耕种吗？

“尧将无法得到舜这样的人当作自己的忧虑，舜将得不到禹和皋陶这样的人当作自己的忧虑。那些将耕种不好田地作为自己忧虑的，是农夫。将钱财分发给别人叫作施惠，将好的道理讲给别人的叫作忠，为天下去发掘人才的才叫仁。因此将天下让给人十分简单，但是为了天下去挖掘人才确实很难。孔子说：‘尧做天子真的很伟大啊！只有天是最伟大的，只有尧能够效法天，他的圣德没有边际，百姓找不出合适的词语来赞颂他。舜也是了不起的天子，即便有了如此辽阔的土地，也没有想到要自己去占有它！’尧、舜治理天下，难道没有用心思吗？只不过不把心思用在耕田种地上罢了。

“我只听说过中原去改变落后的蛮夷，却没有听说过蛮夷来改变中原的。陈良原本是楚国人，对周公、孔子的学说十分喜爱，从南边跑到北边的中原来学习。北方的学者没有人能够超越他。可以称他为豪杰之士了。你们兄弟跟着他学习了数十年，他一去世，你们就背叛了他。过去孔子去世的时候，门徒们都为他守了三年孝，三年之后，大家才整理行囊准备归乡。临走的时候，都去向子贡告别，相对而泣，泣不成声，之后才离开。子贡又回到了孔子的墓地，在墓地附近建了一个屋子，独自守了三年墓，然后才离开。之后，子夏、子张、子游认为有若与孔子相似，于是便用尊敬孔子的礼节来尊敬他，强求曾子同意。曾子说：‘不可行，（孔子）就像是曾经用江汉的水洗涤过，又在夏日的太阳下暴晒过，光辉洁白无瑕，谁还能与我们的老师相比呢？’现在这个腔调古怪的蛮夷说的都是诽谤先王圣贤之道的话，你们背叛了自己的老师，向他学习，这和当时曾子的态度背道而驰。我只听说过从幽深的山沟中飞出来向高大的树木迁徙的，没有听说过从高大的树木上迁去幽深的山沟的。《诗经·鲁颂》中说：‘对于北方戎狄，我们要去攻；对于南方的荆楚，我们要对他进行处罚。’周公尚且要对楚国这样的南方蛮夷进攻，你们却反过来要向他学习，这难道不是越变越坏吗？”

陈相说：“如果按照许先生的主张来，市场价格统一，每个人都不欺诈，就是让一个小孩子去市场也不会被骗。布匹丝绸的长短一样，价格也就相同；麻线丝绵的轻重一样，价格也相同；五谷的多少一样，价格也就相同；鞋子的大小一样，价格也就相同。”

孟子说：“所有东西的质量与价格不同，这是自然的事情，有的相差一倍五倍，有的相差十倍百倍，甚至有的会相差千倍万倍。如果你想让它们变得一样，那么只能先让天下大乱了。一双简陋的鞋子与一双精致的鞋子价格完全相同，人们会同意吗？听从许先生的主张，不过是带领大家走向虚伪，如何能够将国家治理好呢？”

【解析】

这部分记载略长，但是内容十分简单，可以单纯地看成是孟子对当时的农家学说的驳斥，也可以当作是对社会分工的一种系统的阐述。

许行的农家学说将所有的社会问题都简单地归结到社会分工上，认为“贤者与民并耕而食，饔飧而治”才是解决社会矛盾最有利的方法。许行不仅在理论上这样认为，还身体力行。他这样做很快吸引了不少人，就连一向奉行儒家学说的陈相兄弟也成了他的门徒，甚至还公然跑到孟子面前来宣扬许行的学说。

孟子对陈相兄弟二人的行为很不满，于是就开始了一番批驳，迫使陈相承认“百工之事固不可耕且为也”，至此也就承认了社会分工的合理性。孟子至此才开始正式进行正面论述，驳倒了许行的观点和做法。当将许行的观点与做法驳斥完之后，孟子对陈相兄弟背叛师门的行为进行了谴责。

卷六　滕文公下

一

【原文】

周霄[①]问曰："古之君子仕乎？"

孟子曰："仕。《传》曰：'孔子三月无君，则皇皇如也，出疆必载质。'公明仪曰：'古之人三月无君，则吊[②]。'"

"三月无君则吊，不以急乎？"

曰："士之失位也，犹诸侯之失国家也。《礼》曰：'诸侯耕助，以供粢盛；夫人蚕缫[③]，以为衣服。牺牲不成，粢盛不絜，衣服不备，不敢以祭。惟士无田，则亦不祭。'牲杀、器皿、衣服不备，不敢以祭，则不敢以宴，亦不足吊乎？"

"出疆必载质，何也？"

曰："士之仕也，犹农夫之耕也。农夫岂为出疆舍其耒耜[④]哉？"

曰："晋国亦仕国也，未尝闻仕如此其急。仕如此其急也，君子之难仕，何也？"

曰："丈夫生而愿为之有室，女子生而愿为之有家。父母之心，人皆有之。不待父母之命、媒妁之言，钻穴隙相窥，逾墙相从，则父母国人皆贱之。古之人未尝不欲仕也，又恶不由其道。不由其道而往者，与钻穴隙之类也。"

【注释】

①周霄：人名，魏国人。

②吊：慰问。

③蚕缫（sāo）：饲蚕缫丝。

④耒耜（lěi sì）：古代农具的一种。

【译文】

周霄问道："古时候的君子也当官吗？"

孟子说："当官。《传》说：'孔子三个月没有侍奉君王，心里便忧心忡忡的，离开一个国家的时候也一定带着见面礼。'公明仪说：'古时候的人三个月没有侍奉君王，（别人）就要去慰问他。'"

周霄道："三个月没有侍奉君王便去慰问，这不是太着急了吗？"

孟子说："士人没有了官位，就像诸侯没有了国家。《礼记》说：'诸侯耕田，来供给祭祀的物品；夫人亲自养蚕缫丝，做祭祀用的衣服。牲畜不肥壮，祭祀的物品不干净，衣服没备全，则谁都不敢祭祀。如果士人没有了田地，那也不会祭祀的。'牲畜、器具、衣服不具备，不敢祭祀，也不敢摆设筵席，这难道还不足够去慰问吗？"

周霄说："离开一个国家一定带着见面礼，这又是为什么呢？"

孟子说："士人做官，就好比农夫耕田；农夫难道在离开一个国家的时候便扔掉他的农具吗？"

周霄说：说："晋国也是可以做官的国家，却没有听说做官这么着急的。做官如此着急，君子却不会轻易当官，这又是为什么呢？"

孟子说："男孩子生下来就希望为他找到妻室，女孩子生下来便希望为她找到婆家；做父母的心，每个人都有。不等待父母的命令、媒人的话语便钻进门缝偷看，趴在墙上相见，那么父母和他人都会看轻他。古时候的人并不是不想当官，但他们想要通过正道当官。不走正道而去当官的，往往都是钻门缝之类的人。"

【解析】

为了实现自己的抱负而想要做官，是很正常的一件事。可是在孟子看来，很多人不喜欢通过正当的途径得到官职，而喜欢以钻门缝的方式得到官职，犹如不顾父母媒人之言而偷偷见面的男女，属于让人看不起的一种类型。由此也可以看出，孟子主张，不管是政治还是情场，都应该正大光明、光明磊落，而不是偷偷摸摸，钻门爬墙。

二

【原文】

彭更[①]问曰："后车数十乘，从者数百人，以传食于诸侯，不以泰[②]乎？"

孟子曰："非其道，则一箪食不可受于人；如其道，则舜受尧之天下，不以为泰——子以为泰乎？"

曰："否！士无事而食，不可也。"

曰："子不通功易事[③]，以羡[④]补不足，则农有余粟，女有余布；子如通之，则梓匠轮舆[⑤]皆得食于子。于此有人焉，入则孝，出则悌，守先王之道，以待[⑥]后之学者，而不得食于子。子何尊梓匠轮舆而轻为仁义者哉？"

曰："梓匠轮舆，其志将以求食也；君子之为道也，其志亦将以求食与？”

曰：“子何以其志为哉？其有功于子，可食而食之矣。且子食志乎？食功乎？”

曰：“食志。”

曰：“有人于此，毁瓦画墁⑦，其志将以求食也，则子食之乎？”

曰：“否。”

曰：“然则子非食志也，食功也。”

【注释】

①彭更：人名，孟子的学生。

②泰：同“太”，过分。

③通功易事：交流成果，交换物资。

④羡：余，多余。

⑤梓匠轮舆：梓人、匠人，指木工。轮人、舆人指制造车轮和车厢的工人。

⑥待：同“持”，扶持。

⑦墁（màn）：指新粉刷过的墙壁。

【译文】

彭更问道：“身后跟着几十辆车，跟从的有几百个人，在诸侯国之间轮番吃喝，不觉得太过分吗？”

孟子说：“如果不是正道得来，那么一篮子的食物也不应该接受；如果符合道义，那么就算舜接受了尧帝的天下，也不过分——你觉得过分吗？”

彭更说：“不是。士人不做任何事情便吃白饭，这是不可以的。”

孟子说：“你不让各行各业互通交换，用多余的换取不足的，那么就会致使农民有多余的米没人吃，女子有多余的布无人穿。如果可以相互交换的话，那么车匠木匠都能够从你这里得到食物。假定有这么一个人，在家很孝顺，在外守道义，执行先王的道义，以此来培育后世的学者，却不能从你那里获取吃的。你为何尊重车匠工匠却独独轻视施行仁义的人呢？”

彭更说：“木匠车匠，他们工作的目的就是吃饭；读书人研究道义，难道他们也只为得到一点饭吃吗？”

孟子说：“你为什么根据他们的志向来判定呢？只要他们对你有功劳，就应当给他们吃的。况且你是为了志向给饭吃，还是为了功劳给饭吃？”

彭更说：“为了志向。”

孟子说：“比方说这里有一个人，打碎了屋瓦，并且在刚刚涂好的墙上乱画，他的志向也是为了吃饭，这样你还给他吃的吗？”

彭更说：“不给。”

孟子说：“那么你并不是因志向而给饭吃，而是因为功劳给饭吃了。”

【解析】

孟子的弟子彭更看到孟子带着自己的弟子在各诸侯国之间要饭吃，心里觉得有些过分，并把疑问告诉了孟子。此篇讲述的关键就是社会分工的不同。读书人服务社会主要依靠的是散播仁德，木匠车匠服务社会主要靠的是体力劳动。其服务社会的形式不同，但是目的都是一样的。在孟子看来，读书人或许并不是为了吃饭才行道的，但这并不代表就应该少给或者是不给读书人，而是要根据每一个人对社会做出的贡献，付给他们相应的报酬。

三

【原文】

孟子谓戴不胜[1]曰："子欲子之王之[2]善与？我明告子。有楚大夫于此，欲其子之齐语也，则使齐人傅诸？使楚人傅诸？"

曰："使齐人傅之。"

曰："一齐人傅之，众楚人咻[3]之，虽日挞而求其齐也，不可得矣；引而置之庄岳之间数年，虽日挞而求其楚，亦不可得矣。子谓薛居州，善士也，使之居于王所。在于王所者，长幼卑尊皆薛居州也，王谁与为不善？在王所者，长幼卑尊皆非薛居州也，王谁与为善？一薛居州，独如宋王何？"

【注释】

①戴不胜：人名，宋国大臣。

②之：动词，向，往，到。

③咻（xiū）：喧嚷干扰。

【译文】

孟子对戴不胜说："你想要你的君王实施善行吗？我清楚地告诉你。如果有一个楚国大夫，想要让他的儿子学习齐国话，那么他应该让齐国人当儿子的老师，还是让楚国人当儿子的老师？"

戴不胜说："让齐国人当他的老师。"

孟子说："一个齐国人做他的老师，很多楚国人在一旁喧哗吵闹，即便每天都鞭打他让他说齐国话，也得不到想要的效果；把他放在临淄城里的庄街、岳里住上几年，即便你每日鞭打他让他说楚国话，他也做不到。你说薛居州是一个有善行之人，便让他住到王室里面。如果王室的人，不管大的小的，贱的贵的，都是像薛居州这样的好人，那君王又能够和谁一起做坏事呢？如果王室中，不论大的小的，贱的贵的都不是薛居州这样的好人，君王又能够和谁一起行善呢？一个薛居州，又能够为宋国带来什么呢？”

【解析】

此篇孟子讲述了“近朱者赤，近墨者黑”的道理，说明了人所处的环境对人的影响，进而提醒国君应该时刻注意对身边人的考察，并且进行明智的选择。国君周边是好人，那么国君便会一起行善事，国君周边是坏人，那么国君便会一起行恶事。这也是在要求宋国国君亲贤臣、远小人，贤臣多了，国家也就昌盛了。

四

【原文】

公孙丑问曰：“不见诸侯，何义？”

孟子曰：“古者不为臣不见。段干木窬垣而辟[①]之，泄柳[②]闭门而不纳，是皆已甚；迫，斯可以见矣。阳货欲见孔子[③]而恶无礼，大夫有赐于士，不得受于其家，则往拜其门。阳货瞰[④]孔子之亡也，而馈孔子蒸豚。孔子亦瞰其亡也，而往拜之。当是时，阳货先，岂得不见？曾子曰：‘胁肩谄笑，病于夏畦[⑤]。’子路曰：‘未同而言，观其色赧赧然，非由之所知也。’由是观之，则君子之所养，可知已矣。”

【注释】

①段干木：晋国人，清高而不屑为官。魏文侯去拜访他，他却翻墙

逃走不见。窬（yú）：越过。辟：同“避”。

②泄柳：人名。

③阳货欲见孔子：阳货想让孔子来拜见他。见：此处为使动用法。

④瞰（kàn）：窥视。

⑤胁肩谄笑，病于夏畦：缩起肩头，装出一副恭敬的样子。

【译文】

公孙丑问道：“不去拜见诸侯，有什么道理呢？”

孟子说：“古时候不是臣子就不去拜见。段干木为了躲避魏文侯而翻墙逃走，泄柳为了躲避鲁穆公而闭门不出，这些都有些过分了；强迫要见，也是可以见的。阳货想要让孔子亲自拜见他，又担心别人说他没有礼节，大夫赏赐士人，士人如果没有在家，就必须亲自前来拜谢。阳货见孔子没有在家，于是便给孔子送去了一只蒸猪；孔子也趁着阳货没在家的时候，前去拜见。在那时候，阳货若是（不耍花招，）先去拜见了孔子，孔子哪有不见的道理？曾子说：‘缩起肩膀，装出一副恭敬的模样，真是比在田地里干活还要辛苦。’子路说：‘没有相同的语言，还要看着他的脸色一副愧疚的样子，不是我所能了解的。’这样看来，君子该如何修身养性，从这里可以知道了。”

【解析】

交往规则以礼为主，真诚是礼的基础。在孟子看来，诸侯之间只要以礼相待，诚意交往，也就不会被他人拒之门外了。如果毫无诚意，而又勉强去见的话，得到的结果只能是尴尬。

五

【原文】

戴盈之[①]曰：“什一，去关市之征，今兹[②]未能，请轻之，以待来年，然后已，何如？”

孟子曰：“今有人日攘[3]其邻之鸡者，或告之曰：‘是非君子之道。’曰：‘请损之，月攘一鸡，以待来年，然后已。’如知其非义，斯速已矣，何待来年？”

【注释】

①戴盈之：人名，宋国大夫。

②兹：年。

③攘（rǎng）：偷。

【译文】

戴盈之说：“地租按照十抽一的方式收取，去除关卡集市的赋税，今年还没有办到，还是先减轻一些，等到第二年，再全部实施，怎么样呢？”

孟子说：“现在有一个人每天都要偷邻居家的鸡，有人告诉他：‘这不是君子该行的道！’他回答：‘我可以减少一些，每月只偷取一只鸡，等到第二年，就可以完全改正了。’如果知道自己的做法不符合道义，应该快快改掉，何必要等到来年呢？”

【解析】

戴盈之明知之前的做法有所不妥，却没有下定决心立刻改正。于是孟子便引用了偷鸡贼的故事来劝说戴盈之知错就改，不能推三阻四找借口。只是，制度改革关乎国家生计，并不是一蹴而就的，还需要慢慢思量。而孟子之所以这般急促，也是因为他看出宋君并没有真正实行改革的意思，想用偷鸡的故事促使宋君下定决心。

卷七　离娄上

一

【原文】

孟子曰："离娄[1]之明，公输子[2]之巧，不以规矩，不能成方圆；师旷之聪，不以六律，不能正五音；尧、舜之道，不以仁政，不能平治天下。今有仁心仁闻[3]而民不被其泽，不可法于后世者，不行先王之道也。故曰：徒善不足以为政，徒法不能以自行。《诗》云：'不愆[4]不忘，率[5]由旧章。'遵先王之法而过者，未之有也。圣人既竭目力焉，继之以规矩准绳，以为方员平直，不可胜用也；既竭耳力焉，继之以六律正五音，不可胜用也；既竭心思焉，继之以不忍人之政，而仁覆天下矣。故曰：为高必因丘陵，为下必因川泽，为政不因先王之道，可谓智乎？是以惟仁者宜在高位。不仁而在高位，是播其恶于众也。上无道揆[6]也，下无法守也，朝不信道，工不信度，君子犯义，小人犯刑，国之所存者幸也。故曰：城郭不完，兵甲不多，非国之灾也；田野不辟，货财不聚，非国之害也。上无礼，下无学，贼民兴，丧无日矣。《诗》曰：'天之方蹶，无然泄泄[7]。'泄泄犹沓沓也。事君无义，进退无礼，言则非[8]先王之道者，犹沓沓也。故曰：责难于君谓之恭，陈善闭邪谓之敬，吾君不能谓之贼。"

【注释】

①离娄：人名。目力极强，可以看到百步之外的东西。

②公输子：人名，又为鲁班。

③闻（wèn）：名声。

④愆（qiān）：过失。

⑤率：遵循。

⑥揆（kuí）：度量。

⑦天之方蹶，无然泄泄（yì）：蹶：动。泄泄：多言，话多。

⑧非：诋毁。

【译文】

孟子说："即便有离娄的视力、鲁班的技巧，如果不按照规矩行事，也是无法成方圆的；即便有师旷的耳力，如果不根据六律，也是无法纠正五音的；即便有尧舜之道，如果不能实施仁政，也是无法安定天下的。如今尽管有仁心仁爱名誉的人，可老百姓没有享受他的恩泽，后世人也不会效法他的，因为他没有施行先贤圣人之道。所以，光是有善心也不足以参与政事，光是有法度也不足以顺畅施行。《诗经》上说：'没有过失也没有疏漏，所有都遵照先王的章法。'遵循了先王的法制还犯下错误的，从来没有过。圣人已经竭尽自己的目力，然后又用规矩准绳制作出方圆平直的事物，这些事物用都用不完；圣人竭尽了自己的耳力，然后用六律来纠正五音，这些东西用也用不完；圣人已经竭尽了心思，接着还推行了不愿他人受苦的仁政，让仁爱布满天下。所以说，建筑高台一定要依靠丘陵，挖掘沟壑一定要依靠沼泽，处理政事却不依靠先王的道义，这能算是明智吗？所以说，只有仁义的人才适宜处于高位。不仁义的人在高位，只能将罪恶散播到民众间。上无道德度量，下无法律可守，朝廷不相信大道，工匠不相信尺度，君子违反了义，百姓犯了刑法，国家之所以还能够生存，纯属侥幸了。所以说城墙不坚固，兵甲不多，并不是国家的灾祸；田野不开辟，财货不聚集，也不是国家的危害。上不讲礼法，下不做学问，刁民兴起，国家也就快要灭亡了。《诗经》上说：'上天震动，不要多话。'多话便是话不停的意思。侍奉君主的人没有道义，进退没有礼仪，说话也不遵循先王之道，这就是话不停了。所以，君王克服困难称之为'恭'，陈述善良的道理而抑制谬论称之为'敬'，认为君主无法行善称之为'贼'。"

【解析】

此篇讲述的是治国之道。在孟子看来，治理国家的时候一定要效仿尧、舜这般圣明的君主，并认真地施行他们的王道策略。军事如何强大对于一个国家来说不是最紧要的，最为关键的是礼仪、教化和圣贤之道。只有这样，才能够治理好国家，才能够将圣君之道运用到当下的政事上来。

二

【原文】

孟子曰："不仁者可与言哉？安其危而利其菑①，乐其所以亡者。不仁而可与言，则何亡国败家之有？有孺子歌曰：'沧浪之水清兮，可以濯我缨②；沧浪之水浊兮，可以濯我足。'孔子曰：'小子听之！清斯濯缨，浊斯濯足矣。自取之也。'夫人必自侮，然后人侮之；家必自毁，而后人毁之；国必自伐，而后人伐之。《太甲》曰：‘天作孽，犹可违；自作孽，不可活。’此之谓也。”

【注释】

①菑（zāi）：同“灾”。

②濯（zhuó）：洗。缨：系帽子的丝带。

【译文】

孟子说：“不仁义的人可以和他商量吗？他将危险当作安全，将灾祸看作有利，还将亡国的事情看作一种快乐。不仁义的人可以和他商量，那么为何还会有亡国的事情呢？有个小孩子唱道：‘沧浪的水很清澈，能够洗干净我的丝带；沧浪的水很混浊，只可以洗我的脚了。’孔子说：‘学生们听！清澈的水能够洗丝带，混浊的水只能够洗脚。这是水自己招来的。’人一定是先侮辱自己，然后他人才会来侮辱他；家也是自己先毁掉，然后他人再来毁之；国家必定先自伐，而后他人来伐之。《太甲》说：‘天降灾祸，还可以逃开；自己作孽，就无法存活了。’正是这个意思。”

【解析】

人因为自己侮辱自己，所以他人才会来侮辱你。同样，一个家，一个国，也是因为自己内部的问题，才引来外患，使得家破人亡，国家动乱。所以，在此篇中，孟子提倡，人应该自重，家庭应该和睦，国家应该自强。只有这样，才能够自取福贵，避开灾祸。

三

【原文】

孟子曰："桀纣之失天下也，失其民也。失其民者，失其心也。得天下有道：得其民，斯得天下矣。得其民有道：得其心，斯得民矣。得其心有道：所欲与之聚之，所恶勿施，尔也①。民之归仁也，犹水之就下、兽之走圹②也。故为渊驱鱼者，獭也；为丛驱爵③者，鹯④也；为汤武驱民者，桀与纣也。今天下之君有好仁者，则诸侯皆为之驱矣。虽欲无王，不可得已。今之欲王者，犹七年之病求三年之艾⑤也。苟为不畜，终身不得。苟不志于仁，终身忧辱，以陷于死亡。《诗》云：'其何能淑，载胥及溺。'此之谓也。"

【注释】

①尔也：如此罢了。

②圹：同"旷"，旷野。

③爵：同"雀"。

④鹯（zhān）：一种像鹞鹰的猛禽。

⑤艾：即陈艾，常用于治病，存放时间越久，疗效越好。

【译文】

孟子说："夏桀、商纣之所以失去天下，是因为失去了百姓；失去了百姓，是因为失去了民心。得天下是有方法的：得到百姓，就能够得到天下。得到百姓也是有方法的：得到了民心，就能够得到百姓。得到民心也是有办法的：给百姓聚集他们所想要的，不要给他们所厌恶的，仅此而已。百姓都是倾向于仁义的，就好比水都会向下流，野兽都会向旷野行走一样。所以向深水赶鱼的，是水獭；为树林赶来鸟的，是鹞鹰；为商汤、周武赶来百姓的，是夏桀、商纣。而今天天下有爱好仁义的君王，诸侯都会替他赶来百姓。即便他没有统一天下的欲望，也是不可能的了。而今想要统一天下的人，就好像卧病七年的人要得到三年艾草一样。平日里不积累，一辈子都不会得到。如果志向没有在仁义上，一辈子都会遭受忧愁侮辱，最后导致死亡。《诗经》说：‘那怎么能办好事情，只好一块儿溺水而亡了。’说的便是这样了。”

【解析】

此篇讲述了国家存亡和百姓之间的关系。孟子认为，得失民心是国家兴亡的关键所在。民心所向，国家就能够兴旺；民心所背，国家就会很快灭亡。君主要想得到民心，必须实施和百姓息息相关的政策，和百姓同甘苦共患难。此外，得到民心也并非一时半会儿的事情，而是要靠长时间的积累。否则，一辈子也得不到。

四

【原文】

孟子曰：“自暴①者，不可与有言也；自弃者，不可与有为也。言非②礼义，谓之自暴也。吾身不能居仁由义，谓之自弃也。仁，人之安宅也；义，人之正路也。旷安宅而弗居，舍正路而不由，哀哉！”

【注释】

①暴：损害，糟蹋。

②非：诋毁。

【译文】

孟子说："自暴的人，不可以和他说什么话；自弃的人，不可以和他有什么作为。说话便诋毁礼仪，称之自暴。不能够存仁心居正义，称之为自弃。仁，人类的安心住宅；义，人类的正道之路。把安逸的住宅空着而不去居住，把光明大道舍弃而不去行走，真是悲哀啊！"

【解析】

仁是人心里的住宅，只有存有仁德之心才能够使人心安定；义是人类的光明大道，只有做出正义的行动，才能够端正自己的行为，做出具体的善行。

五

【原文】

孟子曰："道在迩[①]而求诸远，事在易而求诸难——人人亲其亲，长其长，而天下平。"

【注释】

①迩：近。

【译文】

孟子说："道义在近处却往远处去寻找，事情本来简单却喜欢往复杂方向去做——其实人们都亲爱自己的双亲，尊敬自己的长辈，天下就可以太平了。"

【解析】

不管是从远处寻找，还是从复杂做起，这些都是没必要的。在孟子看来，只要从自己做起，尊敬自己的长辈，亲爱自己的父母，天下自然也就会太平了。孟子的这篇文章，篇幅虽短，却体现出儒家学说的核心思想："老吾老以及人之老，幼吾幼以及人之幼"和"孝悌也者，其为仁之本与"等。做到这些，便能够齐家治国平天下了。

六

【原文】

孟子曰："居下位而不获于上①，民不可得而治也。获于上有道，不信于友，弗获于上矣。信于友有道，事亲弗悦，弗信于友矣。悦亲有道，反身不诚，不悦于亲矣。诚身有道，不明乎善，不诚其身矣。是故诚者，天之道也②；思诚者，人之道也。至诚而不动者，未之有也。不诚，未有能动者也。"

【注释】

①不获于上：得不到上头的信任。

②天之道也：自然的规律。

【译文】

孟子说："在下级做事的人得不到上级的信任，百姓便不能够得到很好的治理。得到上级的信任也是有方法的，得不到朋友的信任，就无法得到上级的信任。得到朋友的信任是有办法的，得不到父母的喜欢，就得不到朋友的信任。得到父母喜欢是有办法的，自省心却不诚，就无法得到父母的喜悦。真诚自省是有方法的，不明白善行的意思，就无法做到真正自省。所以说诚心诚意，是自然规律；思慕诚意的人，是做人的规律。至于那些思诚而没有打动人心的，是从来没有过的。至于那些不诚心而能够打动人心的，也是不可能的。”

【解析】

“诚”是本篇的核心概念，也是儒家思想核心之一。儒家所提倡的“诚”都是从道德实践中提取出来的，本质就是道德实践过程中的自觉品质和心理状态。孟子这里所说的“诚”，指的是人自省的仁义礼智等方面，当“诚”到达一定境界的时候，就能够打动世间的一切。

七

【原文】

孟子曰：“存[①]乎人者，莫良于眸子。眸子不能掩其恶。胸中正，则眸子瞭[②]焉；胸中不正，则眸子眊[③]焉。听其言也，观其眸子，人焉廋[④]哉！”

【注释】

①存：察。

②瞭：明。

③眊（mào）：暗昧不明，蒙眊。

④廋（sōu）：藏匿。

【译文】

孟子说：“观察一个人，最好的方法便是观察他的眼睛。眼睛是无法掩饰其罪恶的。心胸正直的人，眼睛是比较清澈的；心胸不正的人，眼睛是比较混浊的。听一个人说话，观察一个人的眼睛，人的善恶怎能可能隐藏得住呢？”

【解析】

孟子提倡“身心合一论”，肢体的行为是为了配合人的内在心理活动，而眼睛又是心灵的窗户，透过人的眼睛可以看到一个人的内心。“诚于中而形于外”，胸中有正气，眼睛便清澈，胸中有邪气，眼睛便混浊。

八

【原文】

孟子曰：“人之患[1]在好为人师。”

【注释】

①患：毛病。

【译文】

孟子说：“人最大的毛病就是喜欢给别人做老师。”

【解析】

修身养性的大忌便是好为人师。此篇中，孟子批判了那些没有自知之明、骄傲狂妄的人。“好为人师”最大的问题就是自己不思进取，只在意自己的心满意足，最后不进则退，成了井底之蛙。

卷八　离娄下

一

【原文】

孟子曰："中也养不中[①]，才也养不才[②]，故人乐有贤父兄也。如中也弃不中，才也弃不才，则贤不肖之相去，其间不能以寸[③]。"

【注释】

①中：中庸，代指品行好的人。

②才：才能。

③寸：计量。

【译文】

孟子说："品行好的人要教养那些品行不好的人，有才能的人要教养那些没有才能的人，所以每个人都喜欢有贤能的父兄。如果品行好的人不理会品行不好的人，有才能的人也不理会没有才能的人，那么好和不好的差别，相近得用尺寸都没办法计量了。"

【解析】

没有人生下来就是品行优良、言行适中、才干卓越的，所以有了这种境界的人应该去帮助其他的人，这样才能够改善整个社会的风气。如果到达这种境界的人不喜欢去帮助别人，忽略了自己身上的责任，那么这种人也就算不上贤人了。

二

【原文】

孟子曰："人有不为①也，而后可以有为②。"

【注释】

①为：做。

②为：作为。

【译文】

孟子说："人要有所不为，然后才能有所作为。"

【解析】

成大事的人，都能够很好地选择自己的目标，掌控自己的行为。如果凡事都亲力亲为，肯定会把自己陷入百般操劳之中，成为一个碌碌无为的人。由此来说，我们只有舍弃一些不必做的事情，才能有所作为。

三

【原文】

孟子曰："大人者，言不必信，行不必果，惟义所在①。"

【注释】

①惟义所在：只看是否合乎道义。

【译文】

孟子说："大人物，说话不一定句句守信，行动不一定非有结果不可，只看是否合乎道义就可以了。"

【解析】

“信”是儒家学说中的核心思想之一，但也不能拘泥于“信”而不知道适当变通。只有根据具体的情况来实施具体的策略，懂得通达，才能够更好地践行“信”这一思想。通达的标准要符合道义，道义是最基本的原则，也是需要我们掌握的原则。

四

【原文】

孟子曰：“大人者，不失其赤子①之心者也。”

【注释】

①赤子：婴儿。

【译文】

孟子说：“有品德的人，就是没有丧失像婴孩般天真纯朴的心的人。”

【解析】

有德行的君子，不应该丧失赤子之心。根据孟子的“性善论”来说，修身养性也是为了保护人的本性，让本性不受外界事物的污染。有赤子之心的人较为纯洁，懂得关爱他人，帮助他人。有赤子之心的人多了，社会也会变得美好起来。

五

【原文】

孟子曰：“君子深造①之以道，欲其自得之②也。自得之，则居之安；居之安，则资[3]之深；资之深，则取之左右逢其原，故君子欲其自得之也。”

【注释】

①深造：动词，高深的造诣。

②自得之：自己有所收获。

③资：积累。

【译文】

孟子说：“君子加深造诣会遵循一定的方法，是想要自己有所收获。自己有了收获，才能够牢固地掌握；掌握得越是牢固，积累也会越多；积累得越多，使用起来才能够左右逢源。所以，君子总是想要有所收获的。”

【解析】

孟子这一篇主要阐述了君子该如何自我修养，如何掌握牢固，如何让自己有所收获。文中所说的深造、自得等，强调抓住最本质的东西，主张有自己的独特体会。只有这样，运用起来才能够左右逢源。

六

【原文】

孟子曰：“博学而详说之，将以反说约也[1]。”

【注释】

①将以反说约也：最终回到简略述说大义的境界。

【译文】

孟子说：“广博学习详尽解说，最终还是要回到简略述说大义的境界。”

【解析】

真理原本就是简约的，人们却因为外界的一些因素而将其越来越复杂化，越来越深奥化了。本篇提出，详说并不是为了炫耀博学多才，而是为了最终的深入浅出，达到简略述说大义的目的。

七

【原文】

孟子曰：“以善服人[①]者，未有能服人者也。以善养人[②]，然后能服天下。天下不心服而王者，未之有也。”

【注释】

①服人：让人折服。

②养人：熏陶别人。

【译文】

孟子说：“用自己的善来让人折服，没有能够让人折服的。用自己的善来熏陶别人，就能够让天下人折服。天下人不信服还能够成为君王的，还从来没有出现过。”

【解析】

得民心者得天下，只有用你的善行去熏陶别人，别人才能够被折服。强制别人折服，是永远得不到民心的，也不会有人真正信服。所以说，通过善行感化他人，才能够信服于人，才能够一统天下。

八

【原文】

孟子曰："西子[1]蒙不洁，则人皆掩鼻而过之。虽有恶[2]人，斋戒沐浴，则可以祀上帝。"

【注释】

①西子：西施，古代四大美女之一。

②恶：丑陋。

【译文】

孟子说："即便是西施那么漂亮的女子沾染了不干净的东西，人们也都会掩着鼻子从她身边经过；就算是一个丑陋的人，只要他斋戒沐浴，也是可以祭祀神灵的。"

【解析】

再美丽的外貌，只要沾染了不好的东西，人们也会厌恶；再丑陋的外貌，只要内心纯净，也可以祭拜神灵。

九

【原文】

孟子曰："君子所以异于人者，以其存心也。君子以仁存心，以礼存心。仁者爱人，有礼者敬人。爱人者，人恒爱之；敬人者，人恒敬之。有人于此，其待我以横逆[1]，则君子必自反也：我必不仁也，必无礼也，此物奚宜[2]至哉"？其自反而仁矣，自反而有礼矣，其横逆由[3]是也，君子必自反也：我必不忠。自反而忠矣，其横逆由是也。君子曰：'此亦妄人也已矣。如此，则与禽兽奚择[4]哉？

于禽兽又何难[5]焉？’是故君子有终身之忧，无一朝之患也。乃若所忧则有之：舜，人也；我，亦人也。舜为法[6]于天下，可传于后世，我由未免为乡人也，是则可忧也。忧之如何？如舜而已矣。若夫君子所患则亡矣。非仁无为也，非礼无行也。如有一朝之患，则君子不患矣。”

【注释】

①横（hèng）逆：蛮横。

②此物：指上文所说“横逆”的态度。奚宜：怎么应当。

③由：通“犹”。下文“我由未免为乡人也”中的“由”也通“犹”。

④择：区别。

⑤难：责难。

⑥法：楷模。

【译文】

孟子说：“君子之所以和一般人不一样，在于他们的所存之心。君子将仁存在心里，把礼存在心里。有仁的人爱他人，有礼的人尊敬别人。爱他人的人，他人也常爱他；尊敬人的人，别人也常尊敬他。如果有一个人对待我非常蛮横无理，那么君子肯定会自我反省：我一定是不仁的，一定是无礼的，否则这样的事怎么会落在我身上？自我反省后便以为自己是仁义的，自我反省之后便认为自己是有礼貌的，可蛮横无理的态度还是存在，那么君子又会反省：我肯定是不忠的。自我反省后认为自己是忠心的，可蛮横无理的态度还是那样，君子便说：‘这是一个狂妄的人而已。既然这样，他和禽兽有什么区别呢？对于一个禽兽又有什么好责怪的呢？’所以君子终生都有忧虑，而没有一时的烦恼。至于所忧虑的事情有：舜，是个人；我，也是个人。舜成了天下人的楷模，流芳百世，我却依然是个普通人，这是该忧虑的事情。忧虑了之后又该怎么办？像舜那样做就行了。至于君子一时的烦恼是没有的。不仁义的事情不做，不礼貌的事情不做。即便有一时的烦恼，君子也不会因此而苦恼。”

【解析】

此篇劝告人们互敬互爱，并且进一步强调了个人修养的重要性。遇到问题时，要懂得自我反省。道理很简单，关键是要行动。如果每一个人都这么行动，很多事情也就不会令人苦恼了，社会也就会安定了。

十

【原文】

公都子曰：“匡章，通国①皆称不孝焉。夫子与之游，又从而礼貌之，敢问何也？”

孟子曰：“世俗所谓不孝者五：惰其四支②，不顾父母之养，一不孝也；博弈③好饮酒，不顾父母之养，二不孝也；好货财，私④妻子，不顾父母之养，三不孝也；从⑤耳目之欲，以为父母戮，四不孝也；好勇斗很，以危父母，五不孝也。章子有一于是乎？夫章子，子父责善而不相遇也。责善，朋友之道也。父子责善，贼恩之大者。夫章子，岂不欲有夫妻子母之属哉？为得罪于父，不得近，出妻屏子，终身不养焉。其设心以为不若是，是则罪之大者，是则章子而已矣。”

【注释】

①通国：全国。

②四支：四肢。

③博弈：赌博。

④私：偏爱。

⑤从：同“纵”。

【译文】

公都子说：“全国人都说匡章不孝顺，夫子却和他交往，而且还很礼貌地对待他，请问为什么这么做呢？”

孟子说：“世俗所说的不孝有五种：四肢懒惰，不供养父母的，这是其一不孝；爱好喝酒赌博，不愿意供养父母的，这是其二不孝；贪财，偏爱妻儿，不愿供养父母的，这是其三不孝；寻欢作乐放纵自己，让父母蒙羞的，这是其四不孝；逞强好斗，不顾及父母安危的，这是其五不孝。这五种里匡章犯了哪一种？匡章父子之间是因为善行苛责才不在一起相处的。苛责善行，这是朋友之间相处的方法。父子之间苛求善行的话，对感情是有大伤害的。匡章，他哪有不想要父母妻子团结和睦的？只是因为得罪了自己的父亲，无法在一起，所以才赶走了自己的妻子儿子，终生不要他们赡养。他想如果不这样做的话，就犯下更大的罪过了。这便是匡章啊！”

【解析】

在此篇中，对于匡章的做法孟子是不完全赞同的，不过他很理解匡章的苦闷。世人将匡章看作不孝之人，而孟子不敢苟同。在他看来，不管多少人赞同或者是厌恶的事情，都应该经过自己的考量，才能够得出自己的结论，而非随声附和。

卷九　万章上

一

【原文】

万章[①]问曰："舜往于田[②]，号泣于旻天[③]，何为其号泣也？"

孟子曰："怨慕[④]也。"

万章曰："'父母爱之，喜而不忘。父母恶之，劳而不怨。'然则舜怨乎？"

曰："长息[⑤]问于公明高曰：'舜往于田，则吾既得闻命矣。号泣于旻天，于父母[⑥]，则吾不知也。'公明高曰：'是非尔所知也。'夫公明高以孝子之心，为不若是恝[⑦]：我竭力耕田，共为子职而已矣。父母之不我爱，于我何哉？帝使其子九男二女，百官牛羊仓廪备，以事舜于畎亩之中，天下之士多就之者，帝将胥天下而迁之焉。为不顺于父母，如穷人无所归。天下之士悦之，人之所欲也，而不足以解忧；好色，人之所欲，妻帝之二女，而不足以解忧；富，人之所欲，富有天下，而不足以解忧；贵，人之所欲，贵为天子，而不足以解忧。人悦之、好色、富贵，无足以解忧者，惟顺于父母可以解忧。人少，则慕父母；知好色，则慕少艾；有妻子，则慕妻子；仕则慕君，不得于君则热中。大孝终身慕父母。五十而慕者，予于大舜见之矣。"

【注释】

①万章：孟子的学生。

②舜往于田：舜在田地里干活。

③号泣于旻（mín）天：对天一边哭泣一边诉说。

④怨慕：怨恨而又依恋。

⑤长息：公明高的学生。

⑥于父母：对待父母。

⑦恝（jiá）：无忧。

【译文】

万章问："舜在田间干活，对着天又哭又说，他为什么会哭呢？"

孟子说："因为他对父母是又怨恨又依恋。"

万章说："（曾子说过）'父母喜欢他，他高兴而不懈怠；父母厌恶他，他发愁而不怨恨。'可是舜帝为什么会怨恨自己的父母呢？"

孟子说："长息曾经问公明高：'舜在田间干活，这些我已经听说过。可他对着天一边哭泣一边诉说，这样对待父母，我就有些不理解了。'公明高回答：'这并不是你所能够理解的。'公明高认为，孝子之心并不能像现在这样无忧无虑：我尽心尽力地耕田，恭敬地履行儿子的责任，父母不喜欢我，我又有什么办法呢？尧帝让他的九个儿子两个女儿以及上下百官带着牛羊粮食等，到田地里去服侍舜，天下间的士人也都奔着舜去了，尧帝准备将整个天下都让给舜。舜因为得不到父母的喜爱，就好像一个无处可去的穷人。天底下的士人都非常喜欢他，每个人都盼望舜能够成为君主，可是这样仍不能消除舜心中的忧愁；

美色，谁都喜欢，尧帝把两个女儿嫁给他，也不足够消除他内心的忧愁；富有，所有人都想要，尧帝将天下送给他，也不足以消除他内心的忧愁；尊贵，每个人都想要，可把天子之位送给他，也不足以消除他心里的忧愁。人们对他的喜欢、美色、富贵，这些都不能消除舜心里的忧愁，只有得到父母的喜欢才可以消除他心中的忧愁。人在年少的时候，就会依恋父母；知道喜欢美色的时候，则依恋漂亮的姑娘；有了妻子，则爱护自己的妻儿；做官爱戴君王，得不到君王的喜欢便会内心焦虑。终身依恋父母是大孝。五十岁还依恋父母，这是在舜身上看到的。”

【解析】

舜因为没有得到父母的喜爱，即便面对再多的美色、权贵，都不足以消除他内心的忧愁，甚至连万人之上的君子之位，也无法让他展眉。在孟子看来，终生依恋父母，爱护妻儿，才是常人所为。

二

【原文】

万章问曰：“《诗》云：‘娶妻如之何？必告父母’。信斯言也，宜莫如舜。舜之不告而娶，何也？”

孟子曰：“告则不得娶。男女居室，人之大伦也。如告，则废人之大伦，以怼[①]父母，是以不告也。”

万章曰：“舜之不告而娶，则吾既得闻命矣。帝之妻舜而不告，何也？”

曰：“帝亦知告焉则不得妻也。”

万章曰：“父母使舜完廪[②]，捐阶，瞽瞍焚廪。使浚井，出，从而掩[3]之。象曰：‘谟盖都君咸我绩，牛羊父母，仓廪父母，干戈朕，琴朕，弤朕，二嫂使治朕栖。’象往入舜宫，舜在床琴。象曰：‘郁陶思君尔。’忸怩。舜曰：‘惟兹臣庶，汝其于予治。’不识舜不知象之将杀己与？”

曰：“奚而不知也？象忧亦忧，象喜亦喜。”

曰：“然则舜伪喜者与？”

曰：“否。昔者有馈生鱼于郑子产，子产使校人畜之池。校人烹之，反命曰：‘始舍之，圉圉[4]焉；少则洋洋焉；攸然而逝。’子产曰：‘得其所哉！得其所哉！’校人出，曰：‘孰谓子产智？予既烹而食之，曰，得其所哉，得其所哉。’故君子可欺以其方，难罔以非其道。彼以爱兄之道来，故诚信而喜之，奚伪焉[5]？”

【注释】

①怼（duì）：怨。

②廪：米仓。

③掩：填塞。

④圉圉（yǔ）：没有舒展的样子。

⑤奚伪焉：怎么是假装的呢。

【译文】

万章问道：“《诗经》上说：‘娶妻应该怎么办？一定要先告诉父母。’相信这种说法的，没人比得上舜。但舜没有告诉父母便娶亲，这是为什么呢？”

孟子说：“告诉了父母就无法娶亲了。男女在一起生活，是很重要的人伦关系。如果告诉了父母，就会破坏这

孟子

最重要的人伦关系，最后还会埋怨父母，所以才不告诉父母的。”

万章说：“舜没有禀报父母便娶妻，我已经听您说过。尧帝将女儿嫁给舜也没有告诉舜的父母，这又是为什么呢？”

孟子说：“尧帝也知道如果告诉了舜的父母，就不能把女儿嫁给舜了。”

万章说：“父母让舜去修补米仓，舜的父亲将梯子抽去，放火烧米仓（幸而舜设法逃下来了）；父母又让舜去淘井，其他人出来后，他的父亲便填塞了井口（却不知舜已经从旁边的出口出来了）。舜的弟弟象说：‘谋害舜的计策都是我的功劳。牛羊给父母，米仓给父母，盾戈给我，琴归我，弓归我，两个嫂嫂则负责服侍我休息。’象走入舜的房间，舜正坐在床上弹琴。象说：‘我非常想念你。’他的神色有些不自然。舜说：‘我一心想着自己的子民，你替我去治理吧。’我不理解，舜难道不知道象要杀害自己吗？”

孟子说：“他怎么可能不知道呢？象忧虑他也忧虑，象高兴他也高兴。”

万章说：“难道舜是假装开心吗？”

孟子回答：“当然不是。以前有人将一条鱼送给郑子产，子产便让人养在池子里。这个人却把鱼给煮了，回来还说：‘刚开始放掉时鱼游得并不舒展；一会儿后便游动自如了；最后悠然地游远了。’子产说：‘找到了合适的去处！找到了合适的去处！’这个人出来后，说：‘谁说子产智慧过人？我把鱼煮了吃了，他却说，找到了一个好去处，找到了一个好去处。’因此，君子可以用合理的事情来欺骗他，却很难用违背常理的方法来欺骗。象装出一副敬爱兄长的样子，所以舜便会真诚地相信，并且为之高兴，怎么是假装的呢？”

【解析】

舜孝顺至极，他的父亲、弟弟想方设法地加害他，他却依然遵从道德，孝敬父母，友爱兄弟。在孟子看来，舜真正相信了弟弟的话，因为君子都是恪守正道的，也相信一些合乎情理的事情，但这并不代表君子不聪明。

三

【原文】

故说诗者，不以文害辞，不以辞害志。以意逆[①]志，是为得之。如以辞而已矣，《云汉》之诗曰：“周馀黎民，靡有孑遗[②]。”信斯言也，是周无遗民也。

【注释】

①逆：揣测。

②靡有：没有。孑遗：二字同义，都是“余”的意思。

【译文】

所以那些说诗的人，不能因为拘泥于文字而解错了词句，也不可因为拘泥于词句而误解诗人的本意，这才算是真正的说诗。如果单凭诗句揣摩，那《云汉》诗中说“周朝剩下的百姓，没有一个存活下来的”，相信这句话，便会以为周朝已经没有遗民存在。

【解析】

在孟子看来，语言只是一种媒介、载体，读诗是在和诗人交换彼此的感情。只是，在读诗的时候，很多人喜欢融入太多的个人感情，从而误解了诗人原本想要表达的意思。这在孟子眼中，性质是极其恶劣的。

四

【原文】

万章曰："尧以天下与舜，有诸？"

孟子曰："否。天子不能以天下与人。"

"然则舜有天下也，孰与之？"

曰："天与之。"

"天与之者，谆谆[1]然命之乎？"

曰："否。天不言，以行与事示之而已矣。"

曰："以行与事示之者，如之何？"

曰："天子能荐人于天，不能使天与之天下。诸侯能荐人于天子，不能使天子与之诸侯。大夫能荐人于诸侯，不能使诸侯与之大夫。昔者，尧荐舜于天而天受之，暴[2]之于民而民受之。故曰：天不言，以行与事示之而已矣。"

曰："敢问荐之于天而天受之，暴之于民而民受之，如何？"

曰："使之主祭，而百神享之，是天受之；使之主事而事治，百姓安之，是民受之也。天与之，人与之，故曰天子不能以天下与人。舜相尧二十有八载，非人之所能为也，天也。尧崩，三年之丧毕，舜避尧之子于南河[3]之南，天下诸侯朝觐者，不之尧之子而之舜；讼狱者，不之尧之子而之舜；讴歌者，不讴歌尧之子而讴歌舜，故曰天也。夫然后之中国[4]，践天子位焉。而居尧之宫，逼尧之子，是篡也，非天与也。《太誓》曰：‘天视自我民视，天听自我民听。’此之谓也。”

【注释】

①谆谆（zhūn）：反复叮咛。

②暴：显露，公开。

③南河：舜避居处，今河南范县东二十五里。

④中国：这里指帝都。

【译文】

万章说：“尧帝把天下交给了舜，有这件事情吗？”

孟子说：“没有。天子是不能将天下送给其他人的。”

“那么舜的天下，又是谁给他的呢？”

孟子说：“上天给他的。”

“上天给他，也会反复地叮嘱命令他吗？”

孟子说：“不是，上天不会说话，只会通过行动和事件显现给他罢了。”

万章说：“将行动和事件显现给他，又是怎样的呢？”

孟子说：“天子可以将这个人举荐给天，却不能让上天赐予他天下。诸侯可以把这个人举荐给天子，却不能让天子给其诸侯的地位。大夫能够将人才举荐给诸侯，却无法让诸侯给他一个大夫的位置。以前，尧帝将舜举荐给了上天，而上天也接受了舜；把舜显示给老百姓，百姓便也接受了他。所以说，天不说话，只靠行动和事件显示给他罢了。”

万章又说："请问把舜举荐给天，上天接受了他；把舜显示给民，百姓接受了他，这又是为什么呢？"

孟子说："让舜主持祭祀，而百神都愿意享受，这是上天接受了他；让舜处理政事，百姓都非常满意，这是百姓接受了他。这是上天给他的，这是百姓给他的，所以说，天子不能将天下给人。舜辅佐了尧帝二十八年，这并不是一般人所能够做到的，是天意。尧帝驾崩后，三年丧期结束，舜躲开尧帝的儿子前往南河的南面，天下的诸侯都前来拜见，不去尧帝儿子那里而去舜那里；有冤屈的，不到尧帝的儿子那里而去舜那里；颂扬的人，不歌颂尧帝的儿子而歌颂舜。所以说，这一切都是天意。然后，舜便回到了帝都，坐上了天子的位子。如果舜居住在尧帝的宫室，逼迫尧帝的儿子让位，这是篡位，而非上天给他的了。《太誓》说：'上天看到老百姓所看到的，上天听到老百姓所听到的。'说的便是这个意思。"

【解析】

在儒家思想中，天子之位来自天命，是上天所决定的。而从某种程度上来说，天命又是民意的集中体现，这和儒家思想中的"重民"主张相符。儒家思想中"顺天命，尽人事"的思想主张，天意难测，得到的好好把握，得不到的也不要过于强求。

卷十　万章下

一

【原文】

孟子曰："伯夷，目不视恶色，耳不听恶声。非其君[①]不事，非其民[②]不使[③]。治则进，乱则退。横[④]政之所出，横民之所止，不忍居也。思与乡人处，如以朝衣朝冠坐于涂炭也。当纣之时，居北海之滨，以待天下之清也。故闻伯夷之风者，顽[⑤]夫廉，懦夫有立志。伊尹曰：'何事非君？何使非民？'治亦进，乱亦进，曰：'天之生斯民也，使先知觉后知，使先觉觉后觉。予，天民之先觉者也。予将以此道觉此民也。'思天下之民，匹夫匹妇有不与被尧、舜之泽者，若己推而内之沟中——其自任以天下之重也。

"柳下惠不羞污君，不辞小官。进不隐贤，必以其道。遗佚[⑥]而不怨，厄穷而不悯。与乡人处，由由然不忍去也。'尔为尔，我为我，虽袒裼裸裎[⑦]于我侧，尔焉能浼[⑧]我哉？'故闻柳下惠之风者，鄙夫[⑨]宽，薄夫[⑩]敦。

"孔子之去齐，接淅[⑪]而行。去鲁，曰：'迟迟吾行也，去父母国之道也！'可以速而[⑫]速，可以久而久，可以处而处，可以仕而仕，孔子也。"

孟子曰："伯夷，圣之清者也；伊尹，圣之任者也；柳下惠，圣之和者也；孔子，圣之时者也。孔子之谓集大成。集大成也者，金声[⑬]而玉振之也。金声也者，始条理也；玉振之也者，终条理也。始条理者，智之事也；终条理者，圣之事也。智，譬则巧也；圣，譬则力也。由[14]射于百步之外也，其至，尔力也；其中，非尔力也。”

【注释】

①非其君：并不是理想中的君王。

②非其民：不是理想中的子民。

③不使：不役使。

④横：暴。

⑤顽：贪婪。

⑥遗佚：不被重用。

⑦袒裼（xī）裸裎：赤身露体。

⑧浼（měi）：污染。

⑨鄙夫：心胸狭窄的人。

⑩薄夫：刻薄的人。

⑪接淅（xī）：淘米。

⑫而：则。

⑬金声：指由金属乐器钟等最先发出的声音。

⑭由：通“犹”。

【译文】

孟子说：“伯夷，眼睛不去看丑陋的事物，耳朵不去听丑恶的声音。不是他认可的君王，他就不会侍奉；不是他认可的子民，他就不会使唤。世道稳定便会出来为官，世道混乱便退隐不出。有暴政的地方，就居住着暴民，他都不愿意在此居住。他认为和没有教养的乡下人相处，就好比穿着礼服礼帽却坐在泥土炭灰上一样。殷纣王在位时期，他居住在北海边上，等待着世道太平的那一天。所以听到伯夷作风的人，贪婪也会变得清廉，懦弱也会变得意志坚定。伊尹说：‘什么样的君主不能够侍奉？什么样的子民不能够使唤？’天下太平的时候出来做官，天下混乱的时候也要出来做官，说：‘上天孕育了这些百姓，就是让先知的人来引导后知的人，让先觉的人来唤醒后觉的人。我，便是上天孕育的先觉的人。我也将会根据这一道理来开导后觉的人。’他认为，天下间的百姓，有一个男人或者是女人没有被尧舜的恩泽所笼罩的，就好比自己将别人推进了沟里一样——他自愿将这种天下重担变为自己的责任。

“柳下惠不因侍奉不好的君主而感到羞耻，也不会因为官小就辞职。做官不会隐藏自己的贤能，一定要按照自己的原则做事。不被重用也不会心生怨恨，穷困潦倒也不会心生忧愁。和乡下人相处，心情自在也会不忍离去。他说：‘你是你，我是我，即便你赤身裸体地在我旁边，又能够对我有什么污染呢？’所以，听说过柳下惠作风的人，心胸狭隘的人会变得心胸开阔，刻薄的人也会变得敦厚起来。

“孔子离开齐国的时候，拿着还没有淘完的米便走了。从鲁国离开的时候，说：‘我们可以慢慢地行走，这是在离开自己的祖国啊！’可以快的地方就快，应该慢的地方就慢，可以住的地方便住，可以做官的地方便做官，这就是孔子。”

孟子说：“伯夷，圣人里面最为清高的一个；伊尹，圣人里面最负责任的一个；柳下惠，圣人里面最随和的一个；孔子，圣人里面最识时务的一个。孔子可以说是一个集大成者。集大成者，和奏乐一样，镈钟声起，玉磬声收。镈钟声起音是为了有条理地开始，玉磬声收尾是为了有条理地结束。有条理地开始，是智慧的事；有条理地结束，是圣贤的事。智，就好比技巧；圣，就好比力道。就好比百步穿杨的箭法，射得到，靠的是力量；射得中，靠的就不单单是力量了。”

【解析】

这一篇，孟子主要论述的是孔子的“集大成”。伯夷、柳下惠和伊尹虽然都是圣人，但是他们也都各有长处和短处。孟子以百步穿杨做比喻，说明射箭是力和巧的结合，二者缺一不可。而孔子恰好将所有的优点都集于一身，属于“集大成者”。

二

【原文】

万章问曰：“敢问友。”

孟子曰：“不挟[①]长，不挟贵，不挟兄弟而友。友也者，友其德也，不可以有挟也。孟献子[②]，百乘之家也，有友五人焉：乐正裘，牧仲，其三人，则予忘之矣。献子之与此五人者友也，无献子之家者也。此五人者，亦有献子之家，则不与之友矣。非惟百乘之家为然也，虽小国之君亦有之。费[③]惠公曰：‘吾于子思则师之矣，吾于颜般则友之矣。王顺、长息，则事我者也。’非惟小国之君为然也，虽大国之君亦有之。晋平公之于亥唐[④]也。’入云则入，坐云则坐，食云[⑤]则食。虽蔬食[⑥]菜羹，未尝不饱，盖不敢不饱也。然终于此而已矣，弗与共天位也，弗与治天职也，弗与食天禄也。士之尊贤者也，非王公之尊贤也。舜尚⑦见帝，帝馆甥于贰室⑧，亦飨舜，迭为宾主，是天子而友匹夫也。用⑨下敬上，谓之贵贵；用上敬下，谓之尊贤。贵贵尊贤，其义一也。”

【注释】

①挟：依仗。

②孟献子：人名，鲁国大夫仲孙蔑。

③费：春秋时小国，今山东鱼台西南费亭。

④亥唐：人名。

⑤入云、坐云、食云：是云入、云坐、云食的倒装。云：说。

⑥蔬食：粗糙的饮食。蔬同“疏”。

⑦尚：同“上”。

⑧甥：古时称妻子的父亲为外舅，所以，女婿也称“甥”，舜是尧帝的女婿。贰室：招待的官邸。

⑨用：以。

【译文】

万章问：“请问该如何交朋友？”

孟子说：“不依仗着自己的年龄大，不依仗自己的地位高，不依仗兄弟的地位去交朋友。交朋友，是和他的品性交朋友，是不可以依仗什么的。孟献子是有一百多辆马车的大夫，他的朋友有五个人：乐正裘、牧仲，其他三个人，我已经忘了。孟献子和这五个人做朋友，并没有依仗着自己大夫的地位。这五个人，如果心里有孟献子大夫的身份，也不会和他交朋友的。不仅仅只有拥有百辆马车的大夫是这样，即便是一个小国的君主也有这样做的。费惠公说：‘子思对我来说，我把他当作老师；颜般对我来说，我把他当作朋友；王顺、长息则都是侍奉我的人了。’不仅仅只有小国的君主这样做，即便是大国的君主也有这样做的。晋平公对亥唐，（亥唐）让他入，他便入，让他坐他便坐，让他吃他便吃。就算是粗茶淡饭，也不会吃不饱，因为他不敢不吃饱。不过也仅仅到这个地步了，不同他一起共有官位，也不会给他共同管理天下的职务，不同他一起享受俸禄。这便是士人尊敬贤人，而非王公尊敬贤人的态度。舜去拜见尧帝，尧帝让自己的女婿住在备用的官邸内，并且设宴款待他，二人轮流做宾主，便是天子和子民做朋友。以地位低的尊敬地位高的，便是尊重高贵的人；以地位高的尊敬地位低的，便称为尊重贤能的人。尊重高贵的人和尊重贤人，其中的道理是一样的。”

【解析】

此篇主要讲述的是五伦之一的朋友关系。儒家学说认为，朋友相交看重的是个人品德，而不是身份地位或者是周遭关系。孟子强调了这一交友原则，也正是因为这样，平民可以和士大夫、天子做朋友。这也是尧舜能够成为贤君的主要原因之一。

三

【原文】

孟子曰：“仕非为贫也，而有时乎为贫。娶妻非为养[①]也，而有时乎为养。为贫者，辞尊居卑，辞富居贫。辞尊居卑，辞富居贫，恶乎宜乎？抱关击柝[②]。孔子尝为委吏[③]矣，曰：‘会计当而已矣。’尝为乘田[④]矣，曰：‘牛羊茁壮长而已矣。’位卑而言高，罪也。立乎人之本朝[⑤]而道不行，耻也。”

【注释】

①养：供养父母。

②抱关击柝（tuò）：抱关：看门。击柝：打更。

③委吏：管仓库的小吏。

④乘田：管苑囿的小吏，负责牲畜的饲养和放牧。

⑤本朝：朝廷。

【译文】

孟子说："做官并不是因为贫穷，但有时候也是因为贫穷；娶亲并不是为了供养父母，但有时候也是为了供养父母。因为贫穷而做官的人，辞去高官而做小官，辞去高薪而领薄薪。辞去高官做小官，辞去高薪领薄薪，那么做什么事情才合适呢？看门打更都可以。孔子曾经做过看管仓库的小吏，说：'掌管财务只要没有什么差错就可以了。'孔子也曾经做过管理苑囿的小吏，说：'牛羊长得肥壮就可以了。'地位低下却谈论大事，那就是罪过；在朝中做官，却无法推行大道，这便是耻辱。"

【解析】

《中庸》说："素位而行。"在什么样的岗位做什么样的事情，说什么样的话，尽什么样的责。即便是孔圣人，也是该管账的时候管账，该放牧的时候放牧。为了糊口而做，就不要谈论什么大事，为了行大道而做，就不要毫无作为。

四

【原文】

孟子谓万章曰："一乡之善士[1]斯友一乡之善士，一国之善士斯友一国之善士，天下之善士斯友天下之善士。以友天下之善士为未足，又尚[2]论古之人。颂[3]其诗，读其书，不知其人，可乎？是以论其世也，是尚友也。”

【注释】

①善士：品行优良的人。

②尚：同“上”。

③颂：同“诵”。

【译文】

孟子对万章说：“一个乡里品行优良的人，他的朋友也是一乡里品行优良的人；一个国家中品行优良的人，他的朋友也是一个国家中品行优良的人；天下品行优良的人，他的朋友也是天下间品行优良的人。和天下品行优良的人交朋友还不够，便又追论古时候的人。背诵他们的诗，朗读他们的书，可不了解他们的品行，这样可以吗？所以，还要研究他们所处的时代，这才是和古人做朋友呀。”

【解析】

在孟子看来，除了要和乡里、国家、天下品行优秀的人交朋友，也要和古人交朋友，学习古人的优点，学为己用。

此外，在本篇中，孟子提出了一个很重要的命题——“知人论世”。他主张结合当时的历史背景去理解和观察一个人。不仅仅要诵诗、背书，还要修身养性，才能够成为品行优良的人，才能够和品行优良的人交朋友。

五

【原文】

齐宣王问卿[1]。孟子曰："王何卿之问也？"王曰："卿不同乎？"

曰："不同。有贵戚之卿，有异姓之卿。"

王曰："请问贵戚之卿。"

曰："君有大过则谏，反复之而不听，则易位[2]。"

王勃然变乎色。

曰："王勿异也。王问臣，臣不敢不以正[3]对。"

王色定，然后请问异姓之卿。

曰："君有过则谏，反覆之而不听，则去。"

【注释】

①卿：公卿，卿大夫。

②易位：换成别人，这里是另立君位。

③正：诚实。

【译文】

齐宣王问关于公卿的事情。孟子说："君王所说的是哪一种公卿呢？"

齐宣王说："公卿还有什么不一样的吗？"

孟子说："不一样。有王室一族的公卿，也有异姓的公卿。"

齐王说："那我就问问王室一族的公卿。"

孟子说："君王有大错的时候他们会极力劝阻，反复劝说却还不听从，他们就会另立新君了。"

齐王突然变了脸色。

孟子说："大王不必见怪。您问我，我不敢不诚实回答。"

齐王脸色恢复正常，随后又询问异姓公卿的事。

孟子说："君王有了大错他们也会极力劝阻，反复劝说不听，他们便会辞官离开。"

【解析】

同在朝中为官，亲疏不同，其所担的责任也有所不同。王室公卿因为和君王有血缘关系，所以不能随随便便离去，反复劝说无效后，又不能坐视江山灭亡，只能另立新君；而异姓公卿因为和君王没有血缘关系，反复劝说无效后便会离开。在孟子看来，身份不同，所担当的责任也有所不同，其处事手段也会各不相同。

卷十一　告子上

一

【原文】

告子[①]曰："性犹湍水[②]也，决诸东方则东流，决诸西方则西流。人性之无分于善不善也，犹水之无分于东西也。"

孟子曰："水信[③]无分于东西，无分于上下乎？人性之善也，犹水之就[④]下也。人无有不善，水无有不下。今夫水，搏而跃之，可使过颡[⑤]；激而行之[⑥]，可使在山。是岂水之性哉？其势则然也。人之可使为不善，其性亦犹是也。"

【注释】

①告子：人名，据传是孟子的学生。

②湍水：急速的流水。

③信：真，诚。

④就：趋向于。

⑤颡（sǎng）：额头。

⑥激而行之：阻挡住它让它倒流。

【译文】

告子说："人的本性就像那急速的流水，东面有缺口便向东流，西面有缺口便向西流。人的本性并没有善与不善之分，就好比水的方向也没有东西之别一样。"

孟子说："水的确没有东西方向之分，可它也没有上下流淌之别吗？人的本性都是善良的，就好比水要往低处流一样。人没有不善良的，水没有不向下流的。当然，如果水因为受到击打而溅起水花，就能够高过额头；阻挡住它让它倒流，就能够让它流向山涧。难道这也是水的本性吗？是形势迫使它这样的。人之所以能够使他做出不好的事情，是其本性也受到这样逼迫的缘故。"

【解析】

在本篇中，告子把急流的河水比作人性，抨击人性不分方向，哪里有缺口就往哪里去，可是他没有考虑到水流上下的因素。而在孟子看来，人性本善，一个人之所以做出不好的事情，主要是因为人性受到了外界的压迫，而并非人的本性使然。

二

【原文】

公都子[①]曰："告子曰：'性无善无不善也。'或曰：'性可以为善，可以为不善。是故文、武兴，则民好善；幽、厉兴，则民好暴。'或曰：'有性善，有性不善。是故以尧为君而有象[②]，以瞽瞍[③]为父而有舜，以纣为兄之子且以为君，而有微子启、王子比干。'今曰'性善'，然则彼皆非欤？"

孟子曰："乃若其情[④]，则可以为善矣，乃所谓善也。若夫为不善，非才[⑤]之罪也。恻隐之心，人皆有之；羞恶之心，人皆有之；恭敬之心，人皆有之；是非之心，人皆有之。恻隐之心，仁也；羞恶之心，义也；恭敬之心，礼也；是非之心，智也。仁义礼智，非由外铄[6]我也，我固有之也，弗思耳矣。故曰：‘求则得之，舍则失之。’或相倍蓰[7]而无算者，不能尽其才者也。《诗》曰：‘天生蒸民，有物有则。民之秉彝，好是懿德[8]。’孔子曰：‘为此诗者，其知道乎！故有物必有则，民之秉彝也，故好是懿德。’”

【注释】

①公都子：孟子的学生。

②象：舜同父异母的弟弟。

③瞽（gǔ）瞍（sǒu）：舜的父亲。

④乃若：转折连词，至于的意思。情：天生性情。

⑤才：指天生的资质。

⑥铄（shuò）：授予。

⑦蓰（xǐ）：五倍。

⑧懿德：美好的品德。

【译文】

公都子说：“告子说：‘人的本性并没有善良不善良之说。’还有人说：‘人的本性可以让它为善，也可以让它不为善；这也是周文王、周武王在位时百姓都非常善良，周幽王、周厉王在位的时候百姓都横暴的原因。’还有人说：‘有的人本性是善良的，有的人本性则是不善良的。这也是虽然有尧帝这样的天子却还有象这般不善的子民；虽然有瞽瞍这样不好的父亲却有一个像舜这样善良的儿子；虽然有殷纣王那般不善良的国君，却也有兄长微子启、叔父比干这般善良的臣民。’现在您说‘人性本善’，难道是这些人都说错了吗？”

孟子说："至于人的天性，都可以是善良的，这便是我所说的人性本善的道理。至于那些本性不善良的人，就不能说是天生资质的问题。恻隐之心，每个人都有；羞恶之心，每个人都有；恭敬之心，每个人都有；是非之心，每个人都有。恻隐之心，是仁；羞恶之心，是义；恭敬之心，是礼；是非之心，则是智。这些仁义礼智并非外界因素加之于我的，而是我本来就有的，只不过平时不想也就不觉得了。所以说：'寻求就能够得到，放弃则会失去。'人和人之间或相差一倍、五倍甚至无数倍，这都是因为他们的才能没有充分发挥出来。《诗经》上说：'天孕育万民，有万物就有法则。百姓们了解了这些法则，就能够向往美好的品德。'孔子说：'作这首诗的人，对道非常了解！所以有万物就必定有法则，百姓了解了法则，所以才会喜欢美好的品德。'"

【解析】

这一篇在《孟子》一书中有很重要的地位，是对孟子所主张的"性善论"的全面阐述。从这个理论来说，性善论并不复杂，它只是述说了一个最为基础的观点：仁义礼智这些观念都是人生来就有的，并非外界强加于人的。由此，孟子便认为仁义礼智都属于人的本性范畴。

三

【原文】

孟子曰："鱼，我所欲也，熊掌，亦我所欲也；二者不可得兼，舍鱼而取熊掌者也。生，亦我所欲也，义，亦我所欲也；二者不可得兼，舍生而取义者也。生亦我所欲，所欲有甚于生者，故不为苟得也；死亦我所恶，所恶有甚于死者，故患有所不辟[①]也。如使人之所欲莫甚于生，则凡可以得生者，何不用也？使人之所恶莫甚于死者，则凡可以辟患者，何不为也？由是则生而有不用也，由是则可以辟患而有不为也，是故所欲有甚于生者，所恶有甚于死者。非独贤者有是心也，人皆有之，贤者能勿丧耳。一箪食，一豆[②]羹，得之则生，弗得则死，呼[③]尔而与之，行道之人弗受；蹴[④]尔而与之，乞人不屑也。万钟则不辨礼义而受之。万钟于我何加焉？为宫室之美、妻妾之奉、所识穷乏者得[⑤]我与？乡[⑥]为身死而不受，今为宫室之美为之；乡为身死而不受，今为妻妾之奉为之；乡为身死而不受，今为所识穷乏者得我而为之，是亦不可以已乎？此之谓失其本心。”

【注释】

①辟：同“避”。

②豆：盛汤用的工具。

③呼：呵斥。

④蹴（cù）：踢。

⑤得：通“德”，感激。

⑥乡：同“向”，从前。

【译文】

孟子说：“鱼，是我想要的，熊掌，也是我想要的；两者不能同时得到，舍弃鱼而取熊掌。生，我想要的，义，也是我想要的；两者不能同时得到，舍弃生而取义。生存也是我想要的，想要的还有胜过生存的，所以就没办法随便得到它；死亡是我所厌恶的，但是还有比死亡更厌恶的事情，所以不能随便躲避它。如果人们最想要的东西莫过于生存，那么凡是可以生存的东西，为什么不拿来使用呢？如果人们所厌恶的东西莫过于死亡，那么凡是可以躲避死亡的东西，为什么不去做呢？从这里可以得到生存而又不用，从这里可以躲避灾祸而又不做，这是因为所想要的比生存还重要，还有比死亡更加厌恶的东西。并不是只有贤者才有这样的心思，每个人都有，只是贤者不能失去它罢了。一筐米饭，一盆汤水，得到它就可以生存下去，得不到将会死去，用呵斥的语气给予，路上的行人都不会接受；用脚踢给对方而给予，乞丐都不屑于索取。万钟粟米没有分清礼义轻重便接受了。对于我来说，万钟粟米又有什么用呢？是为了装饰宫室、供养妻妾、所认识的穷人都受到我的给予吗？从前宁愿死也不会接受，而今却为了装饰宫室而接受；从前宁愿死也不接受，而今为了供养妻妾接受了；从前宁愿死也不接受，而今为了让认识的穷人接受我的给予而接受了，这难道也是不可以的吗？这就是失去了自己的本心罢了。”

【解析】

在此篇中，孟子提出了自己的本心思想。本心每个人都有，贤人和普通人的区别在于，贤人无法失去本心罢了。“舍生取义”是儒家宣扬的理想人格，强调当生存和道德有冲突时，应该把道德放在首位。儒家一直推崇“有义”的价值观，对高尚情操起了很积极的推广作用。

四

【原文】

孟子曰：“仁，人心也；义，人路也。舍其路而弗由，放[1]其心而不知求，哀哉！人有鸡犬放，则知求之；有放心而不知求。学问之道无他，求其放心而已矣。”

【注释】

①放：放任，失去。

【译文】

孟子说：“仁，人的本心；义，人的大道。放弃了人的大道而不去走，放着人的本心而不去寻求，真是太悲哀啊！人们的鸡犬丢失了，倒是知道去找回来；本心丢失了却不知道去寻求。学问之道并没有什么，就是将那已经丢失的本心找回来而已。”

【解析】

本篇将“仁”定为人的本心，这一定义对于儒家学说的发展有着很重要的意义。儒家思想还有一个很重要的特点，那就是认为教育学习的目的就是为了寻求人们已经丢失的本心。这是儒家大统，也可以说是中国主流传统文化的代表分支，提倡人们应该注重本心的修养，注重内在涵养。

五

【原文】

孟子曰：“人之于身也，兼所爱。兼所爱，则兼所养也。无尺寸之肤不爱焉，则无尺寸之肤不养也。所以考[1]其善不善者，岂有他哉？于己取之而已矣。体有贵贱，有小大。无以小害大，无以贱害贵。养其小者为小人，养其大者为大人。今有场师，舍其梧槚[2]，养其樲棘[3]，则为贱场师[4]焉。养其一指而失其肩背，而不知也，则为狼疾[5]人也。饮食之人，则人贱之矣，为其养小以失大也。饮食之人无有失也，则口腹岂适⑥为尺寸之肤哉？”

【注释】

①考：考察。

②梧檟（jiǎ）：梧桐树和楸（qiū）树。

③樲（èr）棘：酸枣。

④场师：管理场圃的人。

⑤狼疾：糊涂。

⑥岂适：岂止。适，通“啻”（chì），只。

【译文】

孟子说：“对于自己的身体，人们每一部分都很爱惜。每一部分都很爱惜，就需要每一部分都保养。没有一丁点的皮肤不爱惜，就没有一丁点的皮肤不保养。所以想要考察他保养得好不好，难道还有其他的办法吗？只是在于他自己看中哪一部分而已。身体也有重要部分和不重要部分之分，有小方面也有大方面。不能因为小的方面而损害大的方面，不能因为不重要的部分而损害重要的部分。保养小方面的是小人，保养大方面的才是君子。现在有一个管理场圃的人，放弃了梧桐树和楸树，转而去培养酸枣、荆棘，那么他也只能是一个比较低级的场圃师。只为了保养一根手指头却连后背的功能失掉了都不知道，这就是一个糊涂的人。追求吃喝的人，人们都会鄙视他，因为他为了保养小的而丢弃了大的方面。如果追求吃喝的人并没有丢掉思想的培养，那么吃喝的目的又怎么能只是为着口腹 的那小部分呢？”

【解析】

人的身体、本性都需要人们的养护，在两者无法兼顾的情况下，就需要放弃身体的保养，而去养护本性。这也就是说，不同的事物，其价值都有大小、高低之分，在特殊情况下，一定要分清二者的主次关系，养护重点。

六

【原文】

公都子问曰："钧①是人也，或为大人，或为小人，何也？"

孟子曰："从其大体②为大人，从其小体③为小人。"

曰："钧是人也，或从其大体，或从其小体，何也？"

曰："耳目之官不思，而蔽于物。物交物，则引之而已矣。心之官则思，思则得之，不思则不得也。此天之所与我④者。先立乎其大者，则其小者不能夺也。此为大人而已矣。"

【注释】

①钧：同"均"。

②从其大体：重视心志品德的培养。

③从其小体：只为了满足口腹之欲。

④我：代指人类。

【译文】

公都子问道："都是人，有的是君子，有的是小人，为什么会这样呢？"

孟子说："注重大方面保养的人为君子，注重小方面保养的人则为小人。”

公都子说：“都是人，有的人注重保养大的方面，有的人注重保养小的方面，这又是什么原因呢？”

孟子说：“耳朵、眼睛这一类的器官并不会思考，所以才会很容易被外物蒙蔽。一旦和外物有了接触，它们就很容易被带入迷途。心这一器官可以思考，思考就能够得到，不思考则得不到。这是上天赐予人类的。先树立起大的方面，那么其他小的方面也不会被夺走了。这便是成为君子的道理。”

【解析】

此篇中的“心”代指人的思维器官。通过思考，人们才能够得到自己想要得到的东西，这和孟子主张的“求则得之，舍则失之”的观点相呼应。此外，孟子还提倡，只有先将大的方面树立起来，才能够保养住小的方面。也就是说，大体对小体起着决定性的作用。

七

【原文】

孟子曰：“欲贵[①]者，人之同心也。人人有贵于己者，弗思耳。人之所贵者，非良贵也。赵孟[②]之所贵，赵孟能贱之。《诗》云：‘既醉以酒，既饱以德。’言饱乎仁义也，所以不愿[③]人之膏粱[④]之味也。令闻广誉[⑤]施于身，所以不愿人之文绣[⑥]也。”

【注释】

①欲贵：想要尊贵。

②赵孟：人名，这里代指有权势的人。

③愿：羡慕。

④膏粱：肥肉、小米。

⑤广誉：人人都知的好名声。

⑥文绣：古时，绣有彩色花纹的衣服专属于达官贵人。

【译文】

孟子说："想要尊贵，是每个人共同的心愿。每个人都有尊贵的东西，只是他们没有想到罢了。别人给予的尊贵，不是真正的尊贵。有权势的人可以让你尊贵，有权势的人也可以让你低贱。《诗经》中说：'既可以醉心于美酒，也可以满足于美德。'仁义道德很充实，也就不会羡慕别人的肥肉精米了；让所有的好名声都放在我身上，我也就不会再羡慕别人的文绣衣服了。"

【解析】

在孟子看来，人类最可贵的就是仁义，锦衣玉食只是外在的事物，不值得人过多地羡慕。

八

【原文】

孟子曰："仁之胜不仁也，犹水胜火。今之为仁者，犹以一杯水救一车薪之火也；不熄，则谓之水不胜火。此又与①于不仁之甚者也，亦终必亡而已矣。"

【注释】

①与：同。

【译文】

孟子说：仁义能够胜过不仁义，就好比水能够胜于火。而现在那些仁义的人，就好比用一杯水来扑救一车燃烧的木柴；火没有熄灭，便说水无法胜过火。这样就同不仁义的人一样了，最后连那一点点的仁义之心也消亡了。

【解析】

对于一片熊熊大火来说，一杯水只是杯水车薪，并不能起到什么作用。扑火的人不会反省自己的错误，反而会认为水是无法将火扑灭的，最后，让自己变得和那些不仁义的人一样，连仅存的一点仁义也丢失了。这告诉人们，当面对困难的时候，不能因为你的力量小而否决所有的力量，不能因为特殊情况而否定普遍的情况。

卷十二　告子下

一

【原文】

任人有问屋庐子[①]曰："礼与食孰重？"

曰："礼重。"

"色与礼孰重？"

曰："礼重。"

曰："以礼食，则饥而死；不以礼食，则得食，必以礼乎？亲迎[②]，则不得妻；不亲迎，则得妻，必亲迎乎？"

屋庐子不能对，明日之邹，以告孟子。

孟子曰："於！答是也，何有[③]？不揣其本，而齐其末，方寸之木可使高于岑楼[④]。金重于羽者，岂谓一钩金[⑤]与一舆羽之谓哉？取食之重者与礼之轻者而比之，奚翅[⑥]食重？取色之重者与礼之轻者而比之，奚翅色重？往应之曰：'紾[⑦]兄之臂而夺之食，则得食；不紾，则不得食，则将紾之乎？逾东家墙而搂其处子[⑧]，则得妻；不搂，则不得妻，则将搂之乎？"

【注释】

①任：国名，在现今山东济宁一带。屋庐子：人名，孟子的学生。

②亲迎：古代婚礼仪式的一种。

③何有：不难。

④岑楼：顶尖而高的楼。

⑤钩金：衣带钩上的那一点点金。

⑥奚翅：何止。

⑦紾（zhěn）：扭转。

⑧处子：未出嫁的女子。

【译文】

一个任国人问孟子的学生屋庐子："礼仪和食物哪一样最重要？"

答："礼仪最重要。"

那人又问道："娶妻和礼仪哪一个重要呢？"

屋庐子答："礼仪重要。"

那人又说："如果非要依据礼节来吃饭，最后就得饿死；如果不按照礼节来吃饭，就可以吃到食物，这样还需要按照礼仪来吗？如果按照礼仪（亲迎）来娶妻，就娶不到妻子；不按照礼仪（亲迎）来娶亲，就可以娶到妻子，这样也一定要按照礼仪（亲迎）来娶亲吗？"

屋庐子答不上来，第二天去了邹国，把这件事情告诉给孟子。

孟子回答说："唉！回答这个问题有什么难的？如果不比较根基的高低，而只根据顶端来比较的话，那么就算是一块方寸大的木头也能够比又尖又高的塔高。金属要比羽毛重，但是一个带点金属的衣袋就会比一车的羽毛重吗？用吃的重要面和礼仪的次要面来比较，何止吃的重要？拿娶妻的重要面和礼仪的次要面比较，何止娶妻重要？你回去这样回答：'把哥哥的胳膊扭折才能够得到吃的，不扭折就得不到吃的，还要扭折吗？爬过东边人家的墙壁去搂抱人家未出嫁的女儿，就能够娶妻，不搂则就无法娶妻，难道要去搂吗？’”

【解析】

此篇讲述的是具体情况应该学会具体分析的道理。一般情况下，礼仪高于一切，重于吃饭，也重于娶妻。只是，凡事都有高下主次之分，所以不能将关乎人类生存延续的吃饭、娶妻等重要事务和礼仪方面的细节相提并论。所以说，在对两样事物进行比较的时候，一定要把这两样事物放在同一水平面上。

二

【原文】

曹交[1]问曰：“人皆可以为尧、舜，有诸？”

孟子曰：“然。”

“交闻文王十尺，汤九尺。今交九尺四寸以长，食粟而已，如何则可？”

曰：“奚有于是？亦为之而已矣。有人于此，力不能胜一匹雏[2]，则为无力人矣。今曰举百钧，则为有力人矣。然则举乌获[3]之任，是亦为乌获而已矣。夫人岂以不胜为患哉？弗为耳。徐行后长者谓之弟，疾行先长者谓之不弟。夫徐行者，岂人所不能哉？所不为也。尧、舜之道，孝弟而已矣。子服尧之服，诵尧之言，行尧之行，是尧而已矣。子服桀之服，诵桀之言，行桀之行，是桀而已矣。”

曰：“交得见于邹君，可以假馆[4]，愿留而受业于门。”

曰：“夫道若大路然，岂难知哉？人病不求耳。子归而求之，有余师。”

【注释】

①曹交：据传为曹君的弟弟。但是孟子时期，曹国已经灭亡，所以信息并不准确。

②一匹雏：一只小鸡。

③乌获：传说中的大力士。

④假馆：借个住处。

【译文】

曹交问孟子："每个人都可以成为尧舜，有这个说法吗？"

孟子回答："有。"

曹交问："我听说周文王有十尺高，商汤有九尺高，而我曹交有九尺四寸高，只知道吃饭而已，我该怎样成为尧舜那样的人呢？"

孟子说："这没什么难的，只要去做就可以了。假如有一个人，他的力气都不能提起一只小鸡，他就是一个没有力气的人。如果能够扛起三千多斤的东西，就是一个有力气的人。这样说来，能够举起乌获能够胜任的力量，就是乌获了。难道人该为不胜任而忧愁吗？只是不愿意去做罢了。跟在长者后面慢慢地行走，称为悌；快速地越过长者在前面走，称为不悌。速度慢一点，难道人不能做到吗？只是不愿意去做罢了。尧舜之道，孝悌而已。你穿尧穿过的衣服，说尧说过的话，做尧做过的事，就可以变成尧了。你穿桀穿过的衣服，说桀说过的话，做桀做过的事情，你也就会变成桀了。"

曹交又说："曹交如果见到邹君，就可以向他借个地方住，我愿意留下来拜您为师。"

孟子说："尧舜之道和大路是一样的，哪有那么难懂呢？就担心他们不去寻找罢了。你回去寻找吧，会遇到很多值得学习的人。"

【解析】

"圣贤"是儒家思想中的最高人格，孟子所说的人人都可以成为尧舜，也正体现了这一思想。孟子主张，每一个人都应该有尧舜的这一境界，有一个一辈子努力追寻的目标。此外，有了目标，还要学着进行具体的实践，只有去做了，才会有所得。这一篇鼓励人们追寻自己的目标，为了目标而做出不懈努力。

三

【原文】

宋牼①将之楚，孟子遇于石丘②，曰："先生将何之？"

曰："吾闻秦、楚构兵③，我将见楚王说④而罢之。楚王不悦，我将见秦王说而罢之。二王我将有所遇⑤焉。"

曰："轲也请无问其详，愿闻其指⑥。说之将何如？"

曰："我将言其不利也。"

曰："先生之志则大矣，先生之号⑦则不可。先生以利说秦、楚之王，秦、楚之王悦于利，以罢三军之师，是三军之士乐罢而悦于利也。为人臣者怀利以事其君，为人子者怀利以事其父，为人弟者怀利以事其兄，是君臣、父子、兄弟终⑧去仁义，怀利以相接，然而不亡者，未之有也。先生以仁义说秦、楚之王，秦、楚之王悦于仁义，而罢三军之师，是三军之士乐罢而悦于仁义也。为人臣者怀仁义以事其君，为人子者怀仁义以事其父，为人弟者怀仁义以事其兄，是君臣、父子、兄弟去利，怀仁义以相接也，然而不王者，未之有也。何必曰利？”

【注释】

①宋牼（kēng）：战国学者，主张和平。

②石丘：地名。

③构兵：交战。

④说：劝说。

⑤遇：说而相合。

⑥指：同“旨”，大概，大意。

⑦号：提法。

⑧终：尽。

【译文】

宋牼将要前往楚国，孟子在石丘这个地方碰见了他，孟子说：“先生要做什么去？”

宋牼说：“我听说秦楚两国要交战，我想去面见楚王，说服他罢兵。如果楚王不高兴，我就去面见秦王，劝说他罢兵。这两个国君肯定有一个会被我说服的。”

孟子说：“我不想听您的详细计划，不过我还是想听听您大体的打算。您将要怎么做呢？”

宋牼说：“我打算用交战不利的一面来劝说他们。”

孟子说：“先生的志向很远大，先生的提法却不可行。先生用利益来劝说秦、楚两王，秦、楚两王因为有利益才会高兴，这样也就能够让两国国君罢兵，军队的将士们也会因为休战的利益而高兴的。当人臣子的，抱着利益之心去侍奉他的国君，做儿子的抱着利益之心去服侍他的父亲，做弟弟的抱着利益之心去侍奉他的兄长，这样一来，君臣、父子、兄弟间便会抛掉仁义，而抱着利益之心相交，这样做国家还没有灭亡，这是从来都没有过的事情。若是先生以仁义的道理去劝说秦王、楚王，秦王、楚王因仁义而高兴，于是停止军事行动；军队的官兵也因仁义而高兴，于是乐于罢兵，做臣下的心怀仁义来侍奉君主，做儿子的心怀仁义来侍奉父亲，做弟弟的心怀仁义来侍奉兄长，这就会使君臣、父子、兄弟之间完全去掉利害关系，心怀仁义来互相对待，这样还不能使天下归服的是没有过的事情。为什么一定要说利益呢？”

【解析】

这一篇和孟子劝说梁惠王时的观点有些相通，主张仁义才是上策。在孟子看来，同样的结果，可能源于不同的出发点，所以君子也应该将自己的动机问题重视起来，不可以利益为中心，而要以仁义说服为主。

四

【原文】

孟子曰：“今之事君者皆曰：‘我能为君辟土地，充府库。’今之所谓良臣，古之所谓民贼也。君不乡道①，不志于仁，而求富之，是富桀也。‘我能为君约与国②，战必克。’今之所谓良臣，古之所谓民贼也。君不乡道，不志于仁，而求为之强战③，是辅桀也。由今之道，无变今之俗，虽与之天下，不能一朝居也。”

【注释】

①乡道：向往道德。乡，同“向”，向往。

②与国：盟国。

③强战：勉强作战的意思。

【译文】

孟子说："现在那些侍奉君主的人都说：'我可以为君主开辟土地，可以充盈府库。'如今这些所谓的良臣，都是古时候所说的残害百姓的盗贼。君主不向往道德，不立志于仁义，而让他富足，这和让夏桀富足是一样的。（他们说）'我可以为国君交接盟国，每战必胜。'现在所说的良臣就是古时候残害百姓的盗贼。君主不向往道德，不立足于仁义，他们却要强求为他作战，这是在辅助夏桀呀。顺着今天的道路，不改变今天的习气，即便把天下给他，他也是一天都坐不稳的。"

【解析】

本篇主要进行了良臣和民贼之间的对比，也显示出孟子重民的思想。作为臣子，一定不能担当"辅桀、富桀"的恶名。只有让国君往仁义之道上行走，才是臣子该有的作为。

五

【原文】

白圭[①]曰："吾欲二十而取一，何如？"

孟子曰："子之道，貉[②]道也。万室之国，一人陶，则可乎？"

曰："不可，器不足用也。"

曰："夫貉，五谷不生，惟黍生之。无城郭、宫室、宗庙、祭祀之礼，无诸侯币帛饔飧[③]，无百官有司，故二十取一而足也。今居中国，去人伦，无君子，如之何其可也？陶以寡，且不可以为国，况无君子乎？欲轻之于尧、舜之道者，大貉小貉也；欲重之于尧、舜之道者，大桀小桀也。”

【注释】

①白圭：魏国宰相，治水非常有名。

②貉（mò）：北方的一个小国。

③饔（yōng）：早餐。飧（sūn）：晚餐。这里指的是请宾客吃饭的礼节。

【译文】

白圭说：“我想把税率定为二十抽一，怎么样？”

孟子说：“你的方法和貉国的方法是一样的。一个有万户的国家，只有一个人在制作陶器，这样可以吗？”

白圭说：“不行，陶器肯定不够用。”

孟子说：“貉国，五谷都无法生长，只有黍可以生长；没有城墙、宫室、宗庙和祭祀这些礼仪，诸侯之间也没有宴请宾客的礼仪，没有官员小吏，所以把税率定为二十抽一也就足够了。可你现在身在中原国家，（还要像貉国）去掉人伦道德，废除官吏，这怎么可以呢？制作陶器的少了，都不能治理国家，更何况没有官吏呢？想要把赋税定得比尧舜时期的还低，那只能适合于像貉国那般大小的国家；想要把赋税定得比尧舜时期的还高，那只适合像夏桀那样的暴君。”

【解析】

赋税是维持国家运转的必要手段，赋税的多少关乎国家的发展和百姓的生计。赋税太重，百姓怨声载道；赋税太轻，国库又将财政紧张。这两者都会影响到国家的发展。孟子便深知其中的利害，所以他根据貉国和本国的对比，对白圭讲述了赋税、国家间的关系，主张恰到好处的赋税才是国家发展的需求。

六

【原文】

白圭曰："丹之治水①也愈于禹。"

孟子曰："子过矣。禹之治水，水之道也，是故禹以四海为壑②。今吾子以邻国为壑。水逆行谓之洚③水。洚水者，洪水也——仁人之所恶也。吾子过矣。"

【注释】

①丹之治水：白圭治理水患的水平。

②壑（hè）：沟壑，这里代指承受水患的地方。

③洚（jiàng）：大水泛滥。

【译文】

白圭说："我治理大水的水平，比大禹治水还要厉害。"

孟子说："你错了。大禹治理水患，是顺着水流方向进行疏导的，所以他才能让这些水流入四海。如今你将水引到了邻近的国家。水逆流会导致洚水，洚水就是洪水——这些都是仁人所厌恶的。你这样做是不对的。"

【解析】

白圭治水并不是像大禹一样将水引向大海，而是把水引向了邻国。借由白圭的事情，孟子指责那些为了自己而不管他人的做法，抨击了当时的恶劣作风。

七

【原文】

孟子曰：“君子不亮[1]，恶乎执[2]？”

【注释】

①亮：同“谅”，诚信。

②执：操守的意思。

【译文】

孟子说：“君子不讲诚信，还能有什么操守呢？”

【解析】

如果人没有了诚实守信的作风，做什么事情都随随便便，没有任何操守，那么到头来只能竹篮打水一场空，什么都抓不住。由此可见，儒家思想将诚实守信看作一个很重要的修养方向。

八

【原文】

鲁欲使乐正子[1]为政。孟子曰：“吾闻之，喜而不寐。”

公孙丑曰：“乐正子强乎？”

曰：“否。”

“有知虑乎？”

曰：“否。”

"多闻识乎？"

曰："否。"

"然则奚为喜而不寐？"

曰："其为人也好善[2]。"

"好善足乎？"

曰："好善优于天下[3]，而况鲁国乎？夫苟好善，则四海之内皆将轻[4]千里而来告之以善。夫苟不好善，则人将曰：'訑訑[5]，予既[6]已知之矣。'訑訑之声音颜色距[7]人于千里之外。士止于千里之外，则谗谄面谀[8]之人至矣。与谗谄面谀之人居，国欲治，可得乎？"

【注释】

①乐正子：人名。

②好善：乐于听取善言。

③优于天下：足够治理天下。

④轻：容易。

⑤訑訑（yí yí）：自满的样子。

⑥既：尽，都。

⑦距：同"拒"。

⑧谗：说陷害人的坏话。谄：巴结，奉承。谀：讨好逢迎。

【译文】

鲁国想要让乐正子执政。孟子说："我听说之后，高兴得无法入睡。"

公孙丑说："乐正子很强大吗？"

孟子说："不。"

"那他有才识和谋略吗？"

"没有。"

“见识很多吗？”

“没有。”

“这样，你为什么高兴得无法入睡呢？”

孟子说：“乐正子喜欢听取善言。”

“只喜欢听取善言就可以了吗？”

孟子说：“喜欢听取善言就足够治理天下了，更何况治理一个鲁国呢？执政者喜欢听取善言，那么四海之内的人都会不远千里地前来将善言告诉他；执政者不喜欢听取善言，人们便会仿照他的语气说：‘嗯，我已经知道了。’这种声音可以把人拒于千里之外。士人将会在千里之外止步，这样喜欢谄媚的人便会来了。和谄媚的人在一起，想要治理好国家，能行吗？”

【解析】

单靠一个人的力量和能力是无法治理好国家的，应该广听善言才行。这样，天下的才学之士才会前来，国家才会昌盛。相反，如果不喜欢听取善言，才学之士就会被阻挡在门外，谄媚之人便会趁机向前，要想把国家治理好，就成不可能的事了。

九

【原文】

孟子曰：“舜发于畎亩①之中，傅说举于版筑②之间，胶鬲③举于鱼盐之中，管夷吾举于士，孙叔敖④举于海，百里奚⑤举于市。故天将降大任于是人也，必先苦其心志，劳其筋骨，饿其体肤，空乏其身，行拂乱其所为，所以动心忍性，曾⑥益其所不能。人恒过，然后能改。困于心，衡⑦于虑，而后作。征⑧于色，发于声，而后喻。入则无法家拂士⑨，出则无敌国外患者，国恒亡。然后知生于忧患而死于安乐也。”

【注释】

①畎（quǎn）亩：田间，田地。

②版筑：筑墙工作。

③胶鬲：人名，周武王贤臣。

④孙叔敖：人名。

⑤百里奚：贤人。

⑥曾：同“增”。

⑦衡：通“横”，指横塞。

⑧征：表征，表现。

⑨法家拂士：法家：有法度的大臣。拂士：辅佐的贤士。拂，假借为“弼”，辅佐。

【译文】

孟子说：“舜是在田地间兴起的，傅说是在筑墙的时候被提拔的，胶鬲是在鱼盐贩子中被举荐的，管仲是从狱吏中被提拔出来的，孙叔敖则是在海边被发现的，百里奚是在闹市中被举荐的。由此可见，上天要将大任交给这个人，一定会先折磨这个人的心志，疲乏这个人的筋骨，饥饿这个人的体肤，穷尽这个人的体力，让他的每一个行为都无法如意，这样才能够撼动他的心思，才能够让他的性格坚韧，才能够增加他没有的才能。人只有犯了错误，然后才能够改正；心受到了限制，思想受到了阻碍，才能够发愤图强；表现在脸上，抒发在言语，然后才能够让人了解。对内没有遵纪守法的大臣和士人，对外没有威胁国家生存的外患，这样的国家迟早会灭亡。然后就会知道忧患让人生存、安乐让人灭亡的道理了。”

【解析】

这是孟子最具有代表性的一篇，鼓励人们从患难中奋起，在艰苦的环境中苦练自己的心志，要有忧患意识，不可贪图一时享乐。本篇中“生于忧患而死于安乐”更是成了人人传诵的千古名言。

十

【原文】

孟子曰：“教亦多术[1]矣，予不屑之教诲也者，是亦教诲之而已矣。”

【注释】

①术：方法。

【译文】

孟子说：“教育的方法有很多种，我不屑于教他，也是对他的一种教诲方式。”

【解析】

教育的方法有很多种，不教于人也是教诲人的一种方式。如果在不受人教育的情况下，这个人还能够奋发图强，这也起到了教育的效果；如果这个人无法感悟，那么再多的教育也没有任何作用，和没有教育一样。所以，教育的方式再多，也不如自己的领会和坚持。

卷十三　尽心上

一

【原文】

孟子曰："尽其心[1]者，知其性也。知其性，则知天矣。存其心，养其性，所以事天也。殀[2]寿不贰，修身以俟之[3]，所以立命也。"

【注释】

①尽其心：充分运用人的本心。

②殀（yāo）：短命。

③俟（sì）之：等待天命。

【译文】

孟子说："充分运用人的本心，就能够知道这个人的本性。知道了这个人的本性，就能够知道这个人的天命。保持自己的本心，养护自己的本性，这就是对待天命的办法。不管寿命长短，只要全心全意地修养身心，以此来等待天命，这便是安身立命的最好方法。"

【解析】

本篇讲述了孟子对于本心和本性修养的看法，肯定了自我修养的重要性。和孔子有些不一样的是，孟子并不主张消极地等待天命的到来，而是认为个人修养能够改变天命，进而扩大了个人人格的价值和自身的道德责任。

二

【原文】

孟子曰："莫非命也，顺[1]受其正。是故知命者不立乎岩墙[2]之下。尽其道而死者，正命也；桎梏[3]死者，非正命也。"

【注释】

①顺：顺从。

②岩墙：危险的墙。

③桎梏：束缚犯人的工具。这里意指因为犯了法而被处死。

【译文】

孟子说："所有的事情都是天命，顺从天命就能够接受正常的命运。因此，懂得天命的人不会站在危险的墙下。尽道而死的人，是正常的命运；因为犯法而死的人，则不是正常的命运。"

【解析】

一切皆由天命，这是此篇孟子所提倡的观点。看似很消极，实际上孟子的顺应天命是站在"顺受其正"上的，只有顺理而行，才能够拥有正常的命运。顺理而行就是不站在危险的地方，不做危险的事情。只有做自己应该做的事情，顺应道理而为，走正义之道，行正义之事，才能够走正常的命运之路。

从这里可以看出，孟子认为天命并不是什么神秘之物，只要顺应自然，顺理而行，就可以了。

三

【原文】

孟子曰："求则得之[1]，舍则失之，是求有益于得也，求在我者也。求之有道，得之有命，是求无益于得也，求在外者也。"

【注释】

①之：仁、义、礼、善。

【译文】

孟子说："努力寻求就可以得到，放弃便会失去，这种寻求的方式有利于得到，因为所寻求的东西就在于我的本心之内，寻找它要有办法，得到它要顺应天命，这种寻求是无益于得到的，主要是因为寻求的东西在本身之外了。"

【解析】

孟子认为，像仁、义、礼、善这样的东西，是人心本来就有的，去寻找它自然就能够得到；而像外在的富贵权势，这些本是人心没有的，要想得到它，不光要寻找，还要听从命运的安排。

四

【原文】

孟子曰："行之而不著[1]焉，习矣而不察焉，终身由之而不知其道者，众[2]也。"

【注释】

①著：明白。

②众：普通人。

【译文】

孟子说："做了却不明白为什么要做，习惯了却又不知道为什么习惯，一生都顺着这条路走下去，却不知道这条路是什么路，这就是普通人啊！"

【解析】

大部分人的一生都是风平浪静的，日子也中规中矩地过着。可是，在其中，又有一大部分人不知道自己所过的是什么样的日子，更不知道自己想要的生活是怎样的，甚至都没有自己的人生原则和方向。当遭遇到命运考验的时候，他们或许就无法在正常的生活轨迹上行走了。

五

【原文】

孟子谓宋勾践[①]曰："子好游[②]乎？吾语子游。人知之，亦嚣嚣[③]；人不知，亦嚣嚣。"

曰："何如斯可以嚣嚣矣？"

曰："尊德乐义，则可以嚣嚣矣。故士穷不失义，达[④]不离道。穷不失义，故士得己[⑤]焉；达不离道，故民不失望焉。古之人，得志，泽加于民；不得志，修身见于世。穷则独善其身，达则兼善天下。"

【注释】

①宋勾践：人名。

②游：游说。

③嚣嚣：自得无欲的样子。

④达：得志。

⑤得己：自得。

【译文】

孟子对宋勾践说："你喜欢游说吗？我告诉你游说的态度。人们了解，我也自得无欲；人们不了解，我还是自得无欲。"

宋勾践问："怎么可以做到自得无欲呢？"

孟子回答："尊重道德爱好仁义，就可以自得无欲了。所以士人虽穷却不会失去义，得志也不会偏离道。贫困的时候不失义，所以士人才会自得；得志的时候不偏离道，所以民众才不会失望。古时候的人，得志的时候，会施恩于民；不得志的时候，会在世间修身立命。贫困时保持自己的善性；得志时兼顾天下的善性。"

【解析】

在孟子那个年代，通过游说的方式来谋取一官半职的人很多，孟子也是其中的一个。不过，游说一定要遵循道德法则，以行正义之道为目的，才能够以天下为己任，才能够修身养性。只有这样，才不会为了权贵而抛却自己的道义主张和人性底线。

六

【原文】

孟子曰："人之所不学而能者，其良[①]能也；所不虑而知者，其良知也。孩提之童[2]无不知爱其亲者，及其长也，无不知敬其兄也。亲亲[3]，仁也；敬长，义也；无他，达之天下也。”

【注释】

①良：本能。

②孩提之童：指的是两三岁的小孩子。

③亲亲：亲爱父母。

【译文】

孟子说：“人不经过学习就可以做的，那是本能；人不用思考而能够知道的，那是良知。两三岁的小孩子都知道要亲爱父母，长大之后也都知道要敬重长兄。亲爱父母，属于仁德；尊敬长兄，属于义行。没有其他原因，因为这两种德行是可以通达天下的。”

【解析】

人的本能和良知是生来就有的，是不用受外界教导和学习的。此篇和儒家思想主张的人性向善有着很大的联系，主张仁爱礼仪。亲爱父母，敬重长兄，是人所必备的两种仁德。也就是说，每一个人生来就拥有这两种品德，是不需要后天学习的。

七

【原文】

孟子曰：“君子有三乐，而王天下不与存焉。父母俱存，兄弟无故[1]，一乐也；仰不愧于天，俯不怍[2]于人，二乐也；得天下英才而教育之，三乐也。君子有三乐，而王天下不与存焉。”

【注释】

①故：事故，指灾患病丧。

②怍（zuò）：惭愧。

【译文】

孟子说：“君子有三件乐事，以仁德统一天下并不在这之中。父母健在，兄弟没有灾患病丧，这是第一件乐事；抬头无愧于天，低头无愧于人，这是第二件乐事；得到了杰出的人才而进行教育，这是第三件乐事。君子的这三件乐事，并不包含以仁德统一天下这件事。”

【解析】

孟子所阐述的“君子三乐”，在历史上是非常有名的。其一乐为父母兄弟，属于天意；其二乐为人性道德，属于个人的修养；其三乐则属于英才教育，把自己的修养传递给别人，也能够从中得到快乐。

八

【原文】

孟子曰：“孔子登东山而小[①]鲁，登泰山而小天下，故观于海者难为水，游于圣人之门者难为言。观水有术，必观其澜[②]。日月有明，容光[③]必照焉。流水之为物也，不盈科[④]不行；君子之志于道也，不成章[⑤]不达。”

【注释】

①东山：蒙山，在山东蒙阴南。小：意动用词，认为……小。

②澜：大波浪。

③容光：可以容纳光线的小缝隙。

④科：坑。

⑤成章：事物发展到一定阶段或者是已经有一定的规模。

【译文】

孟子说："孔子登上了蒙山，认为整个鲁国都变小了；登上了泰山，认为整个天下都变小了。所以说，那些观看过大海的人，就很难再去观看其他的水，在圣人门下学习过的人，就很难再听进去其他言论。观水也有一定的方法，一定要先看它的壮阔的波澜。日月有光辉，都可以照耀进一个小小的缝隙。流水这种事物，如果不把小坑填满它就不会向前行进；君子的志向在于追求大道，没有到达一定阶段就无法通达。"

【解析】

这一章讲的主要是境界问题。人只有到达某一阶段的时候，才体会到一定的境界。孟子主张，不管做什么事情，都要循序渐进，圣人之道虽然很宏达，但是也需要学习的人根基深稳。立志于圣人之道自然是很好的，但这只能是起点，如果没有经过后天的修养和努力，无法到达一定境界，是不能通达的。

九

【原文】

孟子曰："鸡鸣而起，孳孳[①]为善者，舜之徒也；鸡鸣而起，孳孳为利者，跖[②]之徒也。欲知舜与跖之分，无他，利与善之间[③]也。"

【注释】

①孳（zī）孳：努力不懈的样子。

②跖（zhí）：人名，据为柳下惠的弟弟。

③间：不一样，差别。

【译文】

孟子说："鸡叫而起床，努力不倦地做善事的人，是舜一类的人；鸡叫而起床，努力不倦地追求利益的人，是跖一类的人。想要知道舜和跖有什么不一样，没有其他原因，只是在于求利和为善的区别罢了。"

【解析】

这一篇主要讲述的是圣人和普通人之间不一样的地方。圣人努力追求的是善事，而大多数人努力追求的是个人的利益。这是圣人和普通人最为本质的区别。

十

【原文】

孟子曰："饥者甘食[①]，渴者甘饮[②]。是未得饮食之正[③]也，饥渴害之也。岂惟口腹有饥渴之害？人心亦皆有害。

人能无以饥渴之害为心害，则不及人不为忧矣。”

【注释】

①甘食：感觉任何食物都是美味的。

②甘饮：任何饮料都是甜美的。

③饮食之正：饮料食物的正常味道。

【译文】

孟子说：“饥饿的人认为任何食物都是美味的，口渴的人认为任何饮料都是甜美的。他们没有品尝到饮料和食物的正常味道，这主要是因为饥饿和口渴让他们失去了正常的感觉。难道只有嘴巴和肠胃能够感觉到饥饿吗？人的心灵也有类似的需求。人们如果能够（经常培养心志，）让他们的心不遭受肠胃嘴巴那样的饥饿干渴，也就不会因为不及他人而感到忧愁了。”

【解析】

孟子此篇讲述了他的心性理论，以嘴巴、肠胃为例，阐述了人心也会因为外界因素而受到影响，进而偏离正常的轨道。由此可见，修身养性对人来说是十分重要的，尤其是在外部条件极其恶劣的情况下，更应该注意。只有做到这些，才能够不因为不及别人而使心灵忧愁。

十一

【原文】

孟子曰：“有为者辟[①]若掘井，掘井九轫[②]而不及泉，犹为弃井[③]也。”

【注释】

①辟：同“譬”。

②轫（rèn）：古代的量词。

③弃井：废井。

【译文】

孟子说：“做事情就好比挖一口井，如果挖了六七丈深还不见水，依然是一口废井。”

【解析】

挖了六七丈深的井，如果没有看到水，那也是一口废井，功亏一篑。孟子用这个例子阐述了自己反对半途而废的思想，鼓励积极向上的进取精神。这也是儒家学说中力荐的一种精神典范，直到今天，对我们后人也有不可估量的价值。

十二

【原文】

王子垫[①]问曰：“士何事[②]？”

孟子曰：“尚志[③]。”

曰：“何谓尚志？”

曰：“仁义而已矣。杀一无罪，非仁也。非其有而取之，非义也。居恶在？仁是也。路恶在？义是也。居仁由义，大人之事备[④]矣。”

【注释】

①王子垫：人名，齐王的儿子。

②士何事：士是做什么事的。

③尚志：使自己志向高尚。尚，动词，使……高尚。

④备：齐备。

【译文】

齐王的儿子垫问："士要做什么事？"

孟子说："士要让自己的志向高尚。"

王子垫说："什么才是志向高尚呢？"

孟子回答："只要施行仁义就可以了。将一个没有罪的人杀死，是不仁。不是他的却强行拿来，是不义。居所在哪儿呢？仁就是。路又在哪里呢？义便是。在仁中居住，在义中行走，大人所做的事情也算是齐全了。"

【解析】

士人的修养就是要让自己的志行高尚，要在仁中居住，在义中行走。这一篇强调仁义，强调士人的修身养性。士人如果失去了仁义，也就无法成为真正的士人了。所以，这就要求读书人把"尚志"二字作为自己的精神依托，将仁义作为行走的根本。此外，尚志还是儒家学说中的一个重要理念，要求人们施行仁义。

十三

【原文】

桃应[①]问曰："舜为天子，皋陶为士[②]，瞽瞍[③]杀人，则如之何？"

孟子曰："执[④]之而已矣。"

"然则舜不禁与？"

曰："夫舜恶得而禁之？夫有所受之也。"

"然则舜如之何？"

曰："舜视弃天下犹弃敝蹝[5]也。窃负而逃，遵海滨而处，终身䜣然[6]，乐而忘天下。"

【注释】

①桃应：孟子的学生。

②士：司法官。

③瞽瞍（gǔ sǒu）：人名，指舜的父亲。

④执：逮捕。

⑤敝蹝（xǐ）：破旧的鞋子。

⑥䜣（xīn）然：高兴的样子。

【译文】

桃应问："舜是天子，皋陶是司法官，如果舜的父亲瞽瞍杀了人，该怎么办呢？"

孟子回答："把他逮捕起来就可以了。"

"难道舜就不会阻止吗？"

孟子说："舜怎么可能会阻止呢？皋陶只是行使自己的权力罢了。"

"那么，舜又该怎么做呢？"

孟子说："舜把抛弃天下看作抛弃破鞋子一般。他会偷偷地背着父亲逃跑，逃到沿海的地方居住下来，一生高兴地过，进而会忘掉天下。"

【解析】

这是典型的道德两难问题。舜身居高位，是天下统帅，所以他必须遵循律法的约束，依法判决自己的父亲。可是，如果舜是一介平民，他或许就能够以孝为先，维护自己的父亲。孟子的这一观点和孔子尊崇的“父为子隐，子为父隐，直在其中”的观点相似。在儒家看来，人情是一直存在的，是人的本性表现。情法不能兼顾的时候，还是不要违背人情才是。

十四

【原文】

孟子自范①之齐，望见齐王之子，喟然②叹曰：“居移气，养③移体，大哉居乎！夫非尽人之子与？”

孟子曰：“王子宫室、车马、衣服多与人同，而王子若彼者，其居使之然也。况居天下之广居④者乎？鲁君之宋，呼于垤泽⑤之门。守者曰：‘此非吾君也，何其声之似我君也？’此无他，居相似也。”

【注释】

①范：地名，现今河南范县。

②喟（kuì）然：感叹的样子。

③养：受到的奉养。

④广居：代指仁。

⑤垤（dié）泽：宋国的城南门。

【译文】

孟子从范县来到齐国，远远看见了齐王的儿子，有些感慨地说道：“地位可以改变人的气质，奉养能够改变人的体质，可见地位是多么重要啊！他难道不同样是人的儿子吗？”

孟子说：“王子所住的宫殿、用的车马、穿的衣服多半是和其他人一样的，而王子之所以会那般，也是因为他的地位使然；更何况那居住于天下最广阔居所（指仁）中的人呢？鲁国国君前来宋国，并且在宋国东城南门下呼喊。守城门的人说：‘这并不是我们的国君，可是他的声音为什么会和我们的国君相似呢？’这并没有其他原因，只是因为他们两个人的地位一样而已。”

【解析】

孟子在此篇中举齐王之子与众不同、鲁宋国君声音相似的例子，说明一个人所处的环境、地位对一个人的气质会产生很大的影响，强调了地位和环境对人的重要性。他进一步阐述，人们能够用“仁”这个境界来丰富自己的内涵，修养自己的道德、气质。

十五

【原文】

孟子曰：“食①而弗爱，豕交之②也；爱而不敬，兽畜③之也。恭敬者，币之未将④者也。恭敬而无实，君子不可虚拘⑤。”

【注释】

①食（sì）：给人东西吃。

②豕（shǐ）交之：交，对待。豕交之，对待他就像对待猪一样。

③畜：喂养。

④币：礼物。将：送。

⑤拘：约束。

【译文】

孟子说：“只给他吃的却不爱惜他，对待他和对待猪并没有什么区别；爱惜他却不尊敬他，和喂养牲畜没什么两样。恭敬的心要在礼物送来之前就有。只表面恭敬却不诚心诚意，君子是不会受虚假的礼文约束的。”

【解析】

这一篇主要感叹当时诸侯虽然表面上对贤人很优待，却从心底里不恭敬贤人，不听从他们的主张。这也是孟子离开齐国的原因，因为虽然他受到了齐王的礼遇，但从未真正受到过恭敬。由此可见，要想和贤能之士做朋友，我们要从心底里恭敬他们，听从他们的建议。只有这样，他们才会愿意留下来，才会愿意和我们做朋友。

十六

【原文】

孟子曰：“君子之所以教者五：有如时雨[1]化之者，有成德者，有达财[2]者，有答问者，有私淑艾[3]者。此五者，君子之所以教也。”

【注释】

①时雨：及时雨。

②财：通假字，通“才”，才能。

③私淑艾：私下拾取，代指品德学问可以让人私下里学习。淑，通“叔”，拾、取的意思。艾：取。

【译文】

孟子说："君子教育人的方式有五种：有像及时雨润化万物的方式，有成全人品德的方式，有让人发挥才干的方式，有解答人疑惑的方式，有流风余韵为后人所私自学习的。这五种方式，便是君子的教育方式了。"

【解析】

在这一篇中，孟子向人阐述了君子育人的五种方式，有像及时雨一样的，对于长时间待在自己身边的学生，进行潜移默化的引导和指点，进而帮助学生成才；也有针对每个人的品德、才干和学识的不同来分别进行指导的，这里也体现了因材施教的思想。

最后一种方式是自我修为的影响，当一个人的自我修为达到一定境界时，他的事迹就会广为流传，并且进一步影响那些没有机会得到教育的人。

可以说，孟子的阐述重点还在于因材施教上。只要老师根据每一个学生的特点来教育，就能够帮助学生成才。

十七

【原文】

公孙丑曰："道则高矣，美矣，宜①若登天然，似不可及也。何不使彼为可几及②而日孳孳也？"

孟子曰："大匠不为拙工改废绳墨，羿不为拙射变其彀率③。君子引而不发，跃如也。中道而立④，能者从之。"

【注释】

①宜：大概。

②可几及：可以达到，接近。孳孳：读（zī）。

③彀（gòu）率：拉开弓的标准。

④中道而立：立于道，不要偏离道的准则。

【译文】

公孙丑说："道虽然很高很美，但是像登天一样，仿若永远不能到达的样子。为什么不把它变成可以接近的事物，激励人们努力呢？"

孟子说："杰出的工匠不会因为笨拙的工人而废除掉应有的工具，后羿也绝不可能因为笨拙的射手而改变拉弓的标准。君子（教人射箭）拉满了弓却不射箭，只是做了做样子而已。不偏离道的准则，有能力的人就会跟着他学习。"

【解析】

孟子此篇的意思是，君子不能因为真理的难易程度而改变目标，不能因为他人受教育的程度不同而改变既定的准则，要遵循因材施教的规律，而作为受教育者，也应该发挥自己的长处。老师教育学生，最主要的是教授其方法，以此来激发学生的学习兴趣。

十八

【原文】

孟子曰："天下有道，以道殉身[①]；天下无道，以身殉道。未闻以道殉乎人[②]者也。"

【注释】

①以道殉身：指的是让道来跟随自己，有终生行道的意思。

②以道殉乎人：就算损害道也要去迁就他人。

【译文】

孟子说："天下清明太平，才能让道来跟随自己；天下混乱不堪，就不惜以身殉道。从来没听说过牺牲道来迁就他人的。"

【解析】

有道、无道并不能用二分法来界定，而应根据当下的趋势进行考虑，这样才是儒家所推崇的。孟子在此篇中批判那些虽然学习了正道，却把正道拿来迁就权贵的人，主张不管在什么情况下，君子都不应该放弃大道的贯彻和修行，要从一而终，而非用大道来迁就他人。

十九

【原文】

公都子曰："滕更之在门[①]也，若在所礼[②]，而不答，何也？"

孟子曰："挟[③]贵而问，挟贤而问，挟长而问，挟有勋劳而问，挟故[④]而问，皆所不答也。滕更有二[⑤]焉。"

【注释】

①滕更：滕国国君的弟弟，拜师于孟子。在门：在孟子门下学习。

②所礼：应该以礼相待。

③挟：倚仗。

④故：故人，旧友。

⑤有二：指的是挟贵、挟贤。

【译文】

公都子说："滕更在您的门下学习，理应要以礼相待，可是您却对他的问题不闻不问，这是为什么呢？"

孟子回答说："依仗着自己的地位显贵来发问，依仗着自己的才能来发问，依仗着自己的年龄大来发问，依仗着自己的功劳来发问，依仗着自己的交情来发问，这些我都不会回答的。滕更便占了其中的两条。"

【解析】

滕更是滕国国君的弟弟，他依仗着自己的身份和才能来向孟子询问问题，而这些又正好是孟子所厌恶的，所以孟子拒绝回答。在孟子看来，这样的求学是没有诚意的，没有诚意的求学，就不会有进步了。这就要求我们求学问一定要真心实意，更不可将世俗中一些不好的事情带入学问中。只有这样，我们才能够进步。

二十

【原文】

孟子曰："于不可已①而已者，无所不已。于所厚者薄②，无所不薄也。其进锐者，其退速③。"

【注释】

①已：废弃。

②厚：厚待。薄：薄待。

③其进锐者，其退速：行进得太猛，后退得也快。锐，疾，猛。

【译文】

孟子说："对于不该废弃的东西却废弃了，那么所有的东西都可以废弃。对于该厚待的人却薄待了，那么所有的人都可以薄待了。那些行进得太迅猛的人，后退得也会非常快。"

【解析】

孟子在此篇中总共叙述了三种情况，大体便是不该废弃的废弃了，不该薄待的却薄待了。一些事情做过了头，后退的速度也会非常快。这说的就是"过犹不及"的意思。

现实生活中，如果忽略了事物的基础和根源所在，而一味地加速向前，那么最后的结果必然会以更快的速度败下阵来。所以，不管是"不及"还是"过及"，都不是处事大道，而是要遵循其间的中庸之道。没有"过及"也没有"不及"，才是最好的。只有这样，才能够顺顺利利地到达目的地。

二十一

【原文】

孟子曰："君子之于物也，爱之而弗[1]仁；于民也，仁之而弗亲。亲亲而仁民，仁民而爱物。"

【注释】

①弗：不。

【译文】

孟子说："君子对待外物，爱惜它却不施行仁政；君子对于百姓，施行仁政却不亲爱他。君子爱自己的亲人而对百姓施行仁政，对百姓施行仁政也就会爱惜世间万物。”

【解析】

孟子此篇讲的是君子对于世间万物、百姓以及亲人的态度，通过文章可以看出，这三者之间在君子心里是有等差的。这是由关系的远近造成的，是一种顺其自然的表现。由此也可以看出，孟子推崇由近及远、推己及人的仁爱原则，这也是儒家一贯倡导的原则之一。

二十二

【原文】

孟子曰：“知[①]者无不知也，当务之为急；仁者无不爱也，急亲贤之为务。尧、舜之知而不遍物，急先务也；尧、舜之仁不遍爱人，急亲贤也。不能三年之丧，而缌[②]、小功之察[③]；放饭流歠[④]，而问无齿决[⑤]，是之谓不知务。”

【注释】

①知（zhì）：同“治”。

②缌（sī）：细的麻布，这里指的是孝服。这种孝服是五种孝服中服丧时间最短的，大约三个月。古时候，女婿为岳父岳母服丧便穿这种孝服。

③小功：小功比缌要高一个等级，需要服丧五个月。古时候，外孙为外祖父服丧，曾穿小功。察：仔细讲求。

④放饭：大口大口地吃饭。在长者面前，属失礼的行为。流歠（chuò）：大口喝汤。

⑤齿决：用牙齿咬断东西。这里指用牙齿啃肉。

【译文】

孟子说："聪明的人什么都想知道，但是他们最先想知道的是眼前最着急的事情；仁者也没有什么不爱惜的，但他们总是急于爱惜贤能的人。尧、舜二人的知识并不能覆盖天地万物，所以他们才急着做眼前的事情；尧、舜的仁义不能遍及所有人，所以他们才急于爱惜贤人。不能三年服丧，却非常讲究三月、五月的小丧礼；不在长者面前大吃大喝，却在长者面前追求'不用牙啃肉'的小礼节，这才叫不识时务呢。"

【解析】

孟子这一篇主要告诉人们，做事情一定要分轻重缓急，要有先后次序。只有这样，才能够第一时间处理紧要的事务，解决主要的问题。如果连这最基本的次序都没有，那也就成了一个不识大体的人。

卷十四　尽心下

一

【原文】

孟子曰："春秋无义战。彼善于此，则有之矣。征者，上伐下也，敌国[1]不相征也。"

【注释】

①敌国：指地位相匹配的国家。"敌"在这里是匹敌、匹配的意思。

【译文】

孟子说："春秋时期并没有合乎正义的战争。那一边比这一边好点的情况，也是有的。所谓的'征'，指的是以上而讨伐下的战争，地位相匹配的国家是不会出现征讨情况的。"

【解析】

"春秋无义战"，是孟子的政治观。在儒家看来，只有天子才有征伐的权力。可是在春秋时期，礼乐崩溃，诸侯四起。所以，孟子说春秋时期并不存在正义的战争。

孟子的这一思想继承于孔子。在《论语·季氏》中，孔子云："天下有道，则礼乐征伐自天子出；天下无道，则礼乐征伐自诸侯出。"战争和政治紧密联系在一起，既有正义的战争，也有不正义的战争。不过从今天来说，看待一场战争是否正义，主要是看战争的目的，而非孟子提倡的看什么人发动的战争。

由此，“春秋无义战”一句不可一概而论，要根据自己所处的时代来理解它的意思，也就是要具体问题具体分析。

二

【原文】

孟子曰：“尽信《书》，则不如无《书》。吾于《武成》①，取二三策②而已矣。仁人无敌于天下，以至仁伐至不仁，而何其血之流杵③也？”

【注释】

①《武成》：《尚书》的篇名，主要记录武王伐纣之后的故事。

②二三策：那个时候还没有纸张，人们会将书籍抄写在竹简上。古代用竹简书写，一策相当于我们今天说的一页。

③杵（chǔ）：捣舂米用的木棒，这里代指武器。

【译文】

孟子说：“如果完全相信《尚书》，那还不如没有《尚书》。我看《武成》的时候，所取的不过其中的二三页而已。仁义的人是天下无敌的，让周武王这样的仁义之人去讨伐商纣王那样的不仁之人，又怎么会让鲜血流淌得足以将武器漂起来呢？”

【解析】

这一篇主要探讨的是读书方法，鼓励读书人要独立思考问题。如果我们一味相信书本上的内容，就很容易变成书呆子，不懂得变通。

这就要求我们，看书的时候一定要学会分析，不能尽信书，应该学会辩证地看待书中的内容。这是最精髓的读书方法。要知道，《尚书》是儒家经典学说之一，其地位就不用言语了。在这般权威的著作面前，孟子还敢于抱着怀疑的精神来对待读书，体现出孟子治学严谨的风范，值得后人学习。

三

【原文】

孟子曰：“梓匠轮舆[①]能与人规矩，不能使人巧。”

【注释】

①梓匠：指的是木工。轮舆（yú）：轮人和舆人。轮人负责制造车轮，舆人负责制造车厢。这里指的是车匠。

【译文】

孟子说：“木工和车匠能够教给人工具使用的规矩和方法，却无法保证学习的人可以技艺高超。”

【解析】

孟子的这段话和“师傅领进门，修行在个人”的意思相似。也就是说，老师可以传授给你学问，但是要想达到更深一层的境界，就需要自己刻苦钻研和学习了。老师是无法传授你这些技能的。所谓“熟能生巧”，老师交给了你入门的方法，要想精通，只能靠自己的努力。

四

【原文】

孟子曰："民为贵，社稷[1]次之，君为轻。是故得乎丘[2]民而为天子，得乎天子为诸侯，得乎诸侯为大夫。诸侯危社稷，则变置。牺牲[3]既成，粢盛[4]既絜，祭祀以时，然而旱干水溢，则变置社稷。"

【注释】

①社稷：指的是土神、谷神，这里代指国家。

②丘：众。

③牺牲：祭祀用的牲畜。

④粢（zī）盛：盛在祭器内的黍、稷等。

【译文】

孟子说："最重要的是人民，国家是次要的，而君王的地位是最轻的。所以说，能够得到众多百姓拥护的人才能够成为天子，得到天子的赏识就能够成为诸侯，得到诸侯的赏识就能够成为大夫。诸侯做了危害国家的事情，就要把他换掉。牲畜肥壮，粟米干净，祭祀按时，可还是不旱则涝的话，就要另立土神、谷神了。"

【解析】

"民贵君轻"是孟子最主要的思想之一，是说有了百姓才会有国家，有了国家才会生君王。这三者之间，民最为主要，其次为国家，最后才是君王。治政之道，便是以民为本。如果为君者能够做到这些，那么国家就安乐无忧了。

这是孟子理想中的一种政治状态。从这也可以演变出：

如若某一条制度、某一项原则实行之后没有取得任何效果，那就要进行适当改变了。这也就要求人们懂得变通，要懂得根据时势转换策略。

五

【原文】

孟子曰："贤者以其昭昭①，使人昭昭；今以其昏昏，使人昭昭。"

【注释】

①昭昭：明白。

【译文】

孟子说："贤明的人必先使自己彻底明白了，然后才去使其他人明白；而今人们自己都不明白，却想让其他人明白。"

【解析】

育人先育己，意思是想要教育好别人，就要先让自己受教育才行，连自己都没有搞清楚的事情，却想要让别人明白，这就有些缘木求鱼的意味了。这一段话本意是批判当时的统治者不作为，却还要担负教化民众的责任。

而将孟子的这一段话引申到现代教育中，就要求作为他人之师，一定要先自己弄明白道理，才能够授人；如果自己都糊里糊涂的，还要给别人上课，那就是误人子弟了。

六

【原文】

齐饥。陈臻曰："国人皆以夫子将复为发棠[①]，殆不可复。"

孟子曰："是为冯妇[②]也。晋人有冯妇者，善搏虎，卒为善士。则之野[③]，有众逐虎。虎负嵎[④]，莫之敢撄[⑤]。望见冯妇，趋而迎之。冯妇攘臂[⑥]下车。众皆悦之，其为士者笑[⑦]之。"

【注释】

①复为发棠：发：打开的意思。棠：指的是齐城周围的粮仓。在灾荒之年，孟子又一次劝说齐王开仓放粮。

②冯妇：妇是人名，在这里并不能解释为姓冯的妇人。

③则之野：有一次他到野外去。

④嵎（yú）：山势险峻的样子。

⑤撄（yīng）：接触，触犯。

⑥攘（rǎng）臂：撸起袖子，露出胳膊。

⑦笑：讥笑。

【译文】

齐国闹饥荒。陈臻说："齐国的百姓都认为夫子会再次劝说齐王开仓放粮、救济灾民，恐怕这一次不能那么做了吧！"

孟子回答说："再这样做，就真成冯妇了。晋国时候，有一个叫冯妇的人，善于打虎，后又做善事。有一次，他到野外去，碰到很多人在追逐一只老虎。老虎背靠着弯弯曲曲的山道，没有人敢接近它。这些人看到冯妇，便急忙上前迎接。冯妇卷起袖子，从车上跳下来。人们见了都非常高兴，可士人却都在讥笑他。”

【解析】

原文中用了一个“复”字，这表明在此之前，孟子已经劝说过齐王开仓放粮了。而那个时候，孟子还在朝中当值。只是，这一次，孟子早已不是朝中人，所以孟子用了冯妇的例子，表明自己已经不愿意再一次去劝说齐王了。这并不代表着孟子没有爱民之心，而是因为他深知齐王的秉性，最后不仅劝说不了齐王，还落得个冯妇那样的下场。

这一篇文章也表明，孟子离开朝廷之后，对当时乱世的失望，语气悲凉，暗含了他一生不得志的悲哀和无奈，可以说是孟子最真实的心理写照。

七

【原文】

孟子曰：“诸侯之宝三：土地、人民、政事。宝珠玉者，殃[1]必及身。”

【注释】

①殃：灾祸，祸害。

【译文】

孟子说：“诸侯有三种宝物：土地、人民、政事。如果把珍珠玉石视为宝物的话，灾祸一定会落到他身上。”

【解析】

一般人玩物丧志，可能他的危害不会很大，可是一旦诸侯、天子玩物丧志，国家就有危险了。种种历史事件证明，贪财之人最后必定会引火烧身。最后，到手的财宝都成了束缚他们的脚镣，蹲守牢狱，进而失了性命。所以，当政者不应该贪财好色，而应该把土地、人民、政事当作宝物，才可为民造福，才可保全自身安然无恙。

八

【原文】

盆成括[1]仕于齐，孟子曰："死矣盆成括！"

盆成括见杀，门人问曰："夫子何以知其将见杀？"

曰："其为人也小有才，未闻君子之大道也，则足以杀其躯而已矣。"

【注释】

①盆成括：姓盆成，名括。曾经拜师于孟子，学业还未完成便离开了。

【译文】

盆成括去了齐国当官，孟子听说后，说道："盆成括快要死了！"

盆成括被杀了之后，门人便问孟子："夫子怎么知道他将要被杀呢？"

孟子回答："盆成括这个人有点小才学，可不知道君子之道，这就足以为他引来杀身之祸了。"

【解析】

在孟子看来，君子之道是人之大道，是人们安身立命的根本所在。人应该有更高、更远大的精神品格，而不能因为一点小才学沾沾自喜。真正的大道是立于欲流而淡泊名利，存于乱世而有所坚持。这就是最真的大道。

九

【原文】

孟子曰：“言近而指远者，善言也；守约而施博者，善道也。君子之言也，不下带①而道存焉。君子之守，修其身而天下平。人病舍其田而芸人之田——所求于人者重，而所以自任者轻。”

【注释】

①不下带：古时候，人们注视人，眼光不能低于对方的腰带。在这里指的是要注意到平日常见的事情。

【译文】

孟子说：“言语虽浅却有很深的意义，这就是善言；奉行简约却广施博义，这属于善道。君子说的话，看上去是很普通的事情，里面却暗含不平凡的道理；君子的操守，能够修身养性而使天下太平。人们最大的毛病，是舍掉自己的田地去种植其他人的田地——要求别人承担重的，而自己则承担轻的。”

【解析】

孟子此篇要求人们严于律己，奉行简约而广施博义。此外，孟子还鼓励人们通过修身养性来治理天下。

十

【原文】

孟子曰："养心莫善于寡[1]欲。其为人也寡欲，虽有不存焉者，寡矣；其为人也多欲，虽有存焉者，寡矣。"

【注释】

①寡：少，缺少。

【译文】

孟子说："养心性最好的办法，没有比减少自身的欲望更好的了。他的欲望少了些，即便他的善性会有所失去，那也是非常少的；如果一个人的欲望很多，即便他的善性还有所保留，那也是非常少的。"

【解析】

欲望是影响人本性的外界因素，欲望多了，就会成为欲望的奴隶，失了本心；欲望少了，则可以达到修身养性的目的。孟子的这一观点和老子的"见素抱朴，少私寡欲"颇为相似。不过，孟子在寡欲方面并没有老子执行得那么彻底（老子已到禁欲的程度）。

十一

【原文】

万章问曰："孔子在陈曰：'盍归乎来！吾党之小子狂简，进取，不忘其初。'孔子在陈，何思鲁之狂士？"

孟子曰："孔子'不得中道而与之，必也狂狷[1]乎！狂者进取，狷者有所不为也'。孔子岂不欲中道哉？不可必得，故思其次也。”

“敢问何如斯可谓狂矣？”

曰：“如琴张、曾皙②、牧皮③者，孔子之所谓狂矣。”

“何以谓之狂也？”

曰：“其志嘐嘐④然，曰，‘古之人，古之人。’夷考其行，而不掩焉者也。狂者又不可得，欲得不屑不絜之士而与之，是獧也，是又其次也。孔子曰：‘过我门而不入我室，我不憾焉者，其惟乡原⑤乎！乡原，德之贼也。’”

曰：“何如斯可谓之乡原矣？”

曰：“‘何以是嘐嘐也？言不顾行，行不顾言，则曰，古之人，古之人。行何为踽踽凉凉⑥？生斯世也，为斯世也，善斯可矣。’阉然媚于世也者，是乡原也。”

万子曰：“一乡皆称原人焉，无所往而不为原人，孔子以为德之贼，何哉？”

曰：“非之无举也，刺之无刺也。同乎流俗，合乎污世，居之似忠信，行之似廉絜，众皆悦之，自以为是，而不可与入尧、舜之道，故曰‘德之贼’也。孔子曰：‘恶似而非者：恶莠⑦，恐其乱苗也；恶佞，恐其乱义也；恶利口，恐其乱信也；恶郑声，恐其乱乐也；恶紫，恐其乱朱也；恶乡原，恐其乱德也。’君子反⑧经而已矣。经正则庶民兴，庶民兴，斯无邪慝⑨矣。”

【注释】

①狂狷（juàn）：“狷”指的是洁身自好，不愿与之同流合污。狂狷是中庸之道的进守辩证。

②曾皙（xī）：春秋鲁国人，孔子的早期弟子之一。

③牧皮：人名，不详。

④嘐嘐（xiāo）：多音字，意指志向远大。

⑤乡原：指的是欺世盗名、言行不一、只图博取功名的人。

⑥踽踽（jǔ）凉凉：孤单冷清的样子。

⑦莠（yǒu）：品质不好的人。

⑧反：同“返”。

⑨邪慝（tè）：奸邪、邪恶的样子。

【译文】

万章问：“孔子在陈国说：‘为什么不回鲁国去呢！我的那些弟子志向虽然高远，处事却非常疏阔，想要进取可是却忘不了旧习。’孔子身在陈国，又为什么会思念那些在鲁国的狂妄的读书人呢？”

孟子说：“孔子说‘找不到志同道合、中庸的人相交，也只有去找那些洁身自好的狂狷者了。狂者只知道一味地激进进取，狷者做事则太过于谨慎’。孔子难道不想和中庸之人结交吗？只是想要结交却不一定能够交到，所以只能退而求其次了。”

“那么到底什么样的人才能够称为狂人呢？”

孟子说：“就好比琴张、曾皙、牧皮，就是孔子眼里的狂者。”

“为什么把他们归为狂者呢？”

孟子说：“他们都是志向远大的人，开口便是‘古时候的人，古时候的人’。可是再看他们平日里的行为，却和他们的言论并不吻合。如果连这样的狂者都无法结交，那也只能找一些不愿同流合污的人交往了，这种人就是狷者，是比狂者还要低一等的人。孔子说：‘从我门前路过却不进我屋子的人，我并不会感到遗憾，因为大概也只有那些欺世盗名的人才这样做。欺世盗名的人，也是残害道德的人。’”

万章说：“什么样的人才是欺世盗名之人呢？”

孟子说：“（欺世盗名的人经常会指责狂者说）‘什么是志向远大呢？说的不顾做，做的不顾说，却还一直说着“古时候的人，古时候的人”（他们又指责狷者说）为什么要孤孤单单地做事情呢？生在这个世上，就要为这个世界做事情，只要别人说好就行了。’像那些在世上献媚邀宠的人，就是欺世盗名之徒。”

万章问：“一乡的人都称他为忠厚的人，到任何地方都被视为忠厚的人，孔子却称他们为残害道德的人，这又是为什么呢？”

孟子说：“（这样的人）想要批评他，可是却找不出具体的例子，想要指责他，又找不出指责的理由，（他们）和污浊的世俗同流合污，平时看着忠厚老实，行为上看着也很廉洁，所有人都喜欢他，而他自己也是这样认为的，可是却与尧、舜之道格格不入，所以才说他们是‘残害道德的人’。孔子说，要憎恶似是而非的东西，憎恶品质不好的人，是害怕他影响其他的人；憎恶歪才，是担心他扰乱道义；憎恶能说会道的人，是担心他混淆事实；憎恶郑国的音乐，是担心它污染雅乐；憎恶紫色，是忧心它淆乱大红色；憎恶欺世盗名的人，是担心他残害道德。君子只是要让一切恢复到正道上罢了。有了正道的形象，百姓才能够振奋；百姓振奋了，世上也就不会有邪恶了。”

【解析】

狂狷者虽然有很明显的毛病，但是他们也有好的一面，反倒是那些欺世盗名的人，初见什么毛病都没有，可事实上他们是言行不一的人。所以，孔子才将这类人称为残害道德的人。

狂狷者和乡原的提出者是孔子。不过，通过这一篇文章我们能够看出，孟子对于孔子的观点是深为赞同的。他将狂狷者和乡原放在一起比较，帮助读者更加深刻地理解其中的不同，对后世影响深远。

十二

【原文】

孟子曰："由尧、舜至于汤，五百有余岁。若禹、皋陶[①]，则见而知之；若汤，则闻而知之。由汤至于文王，五百有余岁，若伊尹、莱朱[②]，则见而知之；若文王，则闻而知之。由文王至于孔子，五百有余岁。若太公望[③]、散宜生[④]，则见而知之；若孔子，则闻而知之。由孔子而来至于今，百有余岁，去圣人之世，若此其未远也，近圣人之居，若此其甚也，然而无有乎尔，则亦无有乎尔！"

【注释】

①皋陶：东夷族首领，曲阜人，上古时期的政治家、思想家。

②莱朱：名仲虺（huǐ），汤的贤臣。

③太公望：即吕尚，姜子牙。西周军事家、韬略家。

④散宜生：西周开国功臣，文王贤臣。

【译文】

孟子说："从尧、舜到商汤，中间经历了五百多年。像禹和皋陶，是亲眼见到尧、舜而后知其道理的；像商汤，则是因为听了尧、舜的传说才知道的。从商汤到周文王，中间也经历了五百多年，像伊尹和莱朱，是亲眼看到商汤之后才了解的；像周文王，则是因为听了商汤的传说才知道的。从周文王到孔子，中间又过了五百多年，像姜子牙、散宜生，都是亲眼见过周文王才了解的；像孔子，则是因为听了周文王的传说才知道的。从孔子到现在已经有一百多年了，和圣人的时代离得并不远，和圣人的家乡离得这么近，却没有能够继承圣人之道的人，以后恐怕也不会有了吧！"

【解析】

这是《孟子》一书的最后一篇，从"五百年之间必然会出现一个王者"阐述了过去年代的圣人代表。在文章的结尾处，孟子忧心于圣人之道会因为没有继承人而中断，其间暗含孟子自身也是一名圣人之道的继承者。以这一篇作为全书的终结，也是有着深刻寓意的。依据孟子的这一篇学说，唐宋时代出现了"道统"说，由此，人们也将孟子称为"亚圣"。